未来力

Be A Game Changer

「10年後の世界」を読み解く51の思考法

楽天グループ会長兼社長
三木谷浩史
Hiroshi MIKITANI

文藝春秋

未来力

Be A Game Changer

「10年後の世界」を読み解く51の思考法

はじめに

人は「未来」について考える時、どんな視点を持つべきだろうか。そして、「未来」を想像する意味とは、果たしてどのようなものなのだろう。

例えば、アメリカがアポロ計画で人類初の月面着陸を成し遂げたのは1969年。その計画を1961年に大統領のケネディが発表した時、人を月面に送り届けるための技術はまだ存在していなかった。

月に行くという目標は、飛行機を少しずつ改良した先に成し遂げられるものではなく、これまでにはなかった発想やイノベーションが必要となる。その意味でケネディ大統領が敢えてその時点で10年以内の月面着陸を目標に掲げたのには、乗り越えるべき壁を明確にする、という意図があったはずだ。月面に人が送り届けられる世界という「未来」を想像し、そのために必要な条件を一つひとつ具体化することで、技術的な課題も初めて明確になるからである。

ケネディの宣言によって、技術者たちは「月に行く」という長期的なビジョンをイメージできた。そうした長期的なビジョンは、次に中期的な課題を見えやすくする。さらに中期的な目標が明瞭になれば、次に短期的な課題が続々と浮かび上がってくる――。

10年後の「未来」のイメージが提示されたことで、人と金を集中させる場所が浮かび上がれば、技術が革新される準備は整う。そうしてイノベーションが繰り返されたことで、人類の月面着陸というスケールの大きな偉業も達成されたわけだ。

この話の教訓はこうだ。物事を成し遂げる時、問題になるのは目の前の「壁」の高さや数ではない。その「壁」が見えるかどうか――。乗り越えるべきその「壁」さえ自覚できれば、たとえそれが何百、何千という数であろうとも、僕らは前に進もうと動き続けられるからだ。

ネットワークの時代

ある人々が「未来」をイメージした先に、私たちの「いま」が作り上げられている。「未来」を想像することの意味もそこにある。「未来」を思い描くことこそが、社会を進歩させ、前進していくために必要な人類の原動力だからである。

翻って、今の日本社会はどうだろうか。

日本には近現代史の中で、社会のシステムが大きく変化した経験が二度あった。江戸時代、世界でイノベーションが進んでいる最中、日本は250年にわたって鎖国を続けてきた。その鎖国政策が開国と明治維新によって変わり、社会が劇的に変化した時期が一つ目。

もう一つは第二次世界大戦による敗戦だ。

戦後になってハードウェアの時代が到来すると、和を以て貴しとなすという美徳を持つ日本は、製造業や鉄鋼などの素材産業の分野で大きな強みを発揮した。ところが、オートメーション化が進み、２０００年代に入ってＡＩの技術が進歩すると、製造業は世界的に一つのパーツに過ぎなくなった。素材産業も中国製の方が価格も安くなり、経済を支えてきた基幹産業の競争力が急速に失われていった。日本はいま、その状況に長く苦しんでいる。

では、そんな日本社会において「未来」を想像し、新たなイノベーションを起こして現状を打破していくためには、どのような発想が必要なのだろうか。

いま、そのための重要な一つとして僕の頭の中にあるのは、「ネットワークの時代」というキーワードだ。

「ＩＰネットワークによって多くの人やものが繋がっていった先には、どのような世の中が広がっているんだろう」

Ｓｉｒｉのようなにしろ、グーグルのサービスにしろ、インターネットは端末側のコンピューティングパワーを必要としてきた。でも、そのなかでネットワークが高速化していくと、今度はネットワークそれ自体がインテリジェンスを持つようになってくる。

キャッシュはなくなる

ネットワークそのものがインテリジェンスを持つ社会。ちょっと想像してみよう。例えば、偽札が流通する新興国なんかでは早晩、キャッシュ（現金）はなくなると思う。「キャッシュよりも、むしろクリプトカレンシー（暗号資産）のほうが安心できる」「クリプトではないにしても、電子のほうが安心できる」というふうになっていくはずだ。

実際、中国では凄まじい勢いでクリプトが浸透し始めている。広東省深圳市では、２０２１年の春節の時も、抽選で一人当たり２００元（約３２００円）のデジタル人民元を配っていた。こんな感じで、中国がキャッシュレス社会になっていくと、なんで他の国は未だにキャッシュを持っているのか？　というふうに一気になっていくはずだ。

仮想通貨だけじゃない。あっという間に自動車は完全に自動運転となり、空には宅配用のドローンが飛び交うようになるだろう。医療のイノベーションによって人の寿命は１２０歳まで延び、宇宙旅行も当たり前の時代になるはずだ。

「未来」をイメージする時に重要なのは、そうした変化が自分の想像よりもずっと速い速度で起こることだ、と僕は思っている。

振り返れば、25年前、楽天を創業した時もそうだった。あの頃、インターネットでのＥＣサイトはどれも失敗していた。多くの人がＥＣの可能性を疑っていた。それでも僕が楽天市場を始めたのは、インターネットがより簡単で便利になり、爆発的に普及することで、多くの人がＥＣでものを買うようになると考えたからだ。そのことで流通のあり方は激変するだろう、と確信していた。

ただ、その仮説が本当に実現するには15年、下手したら、20年はかかると思っていた。でも、実際には10年を待たずに全て実現している。以来、僕が肝に銘じているのは、「自分が考える3倍のスピードで物事は変わる」という法則だ。

10年かかると考えた変化なら3年、3年と思った変化なら1年——。本書で描く「未来」も、すぐそこにある現実なのだと確信している。

未来力

Be A Game Changer

「10年後の世界」を読み解く51の思考法

目次

目次

3 ロシアの暴虐、中国の異変

6 英語教育の改革は急務だ

1

この国には
アントレプレナーが必要だ

1 「イノベーション」と「インベンション」は違う

社会やビジネスにおける「未来」を語る際、繰り返し登場する概念に「イノベーション（技術革新）」がある。「イノベーション」という言葉を聞く時、読者の皆さんはどのようなイメージを頭に思い浮かべるだろうか。ｉＰＳ細胞や光免疫療法のような新しい医療技術、ブロックチェーンのような新しいアルゴリズム、あるいは、ＬＥＤや量子コンピュータのようなテクノロジー……。

実はこうした「これまでになかった発明」は、「イノベーション」ではない。ノーベル賞を受賞するような発明は、あくまで「インベンション（発明や発見）」。この両者を履き違えて理解している人は、経営者や政治家、官僚にも結構多いのだ。

では、僕らの「未来」を作っていく「イノベーション」とは何か。それは「新しいもの同士を結合させる発想」に他ならない。

例えば、我々の生活を大きく変えたｉＰｈｏｎｅ。あれも、音楽と電話、インターネットという既存の技術の組み合わせという「イノベーション」によって誕生した商品だった。ジェフ・ベゾスやイーロン・マスクだって、決してファンダメンタルな新技術を発明したわけではない。「オンラインで書店のように本を売ろう」という発想からアマゾンは生まれ、「モーターと電池と車を組み合わせたらこうなるよね」という発想からテスラが作られた。

楽天グループのビジネスも同じだ。僕らの強みは楽天会員のデータベースを中心に、ECや金融、様々なコミュニティやサービスを一つのエコシステムとして展開しているところにある。エコシステムの本質は「繋げる」ということ。こうして「新しいもの」を結合させていくのが、アントレプレナーの社会的な役割でもあるという思いが僕にはある。

シュンペーターの理論

この「イノベーション」という概念を理解する上で、経済学者のジョセフ・シュンペーターの存在は知っておいて損はないだろう。

僕は大学の授業でシュンペーターの経済学について学んだが、経済学者だった父（三木谷良一）とも後にその理論の面白さを話し合ったことがある。父は、若い頃から天才と呼ばれたシュンペーターを「百年に数人出るかどうかの傑出した学者」と高く評価していた。ハーバード大学で教鞭をとっていた彼が亡くなったのは１９５０年。父は１９５９年にハーバードに留学をしていたので、「あと10年長く生きていたら会えたはずだ」と話していたものだ。

そのシュンペーターの理論とはどういうものか。例えば、伝統的なケインズ経済学では、不景気になれば、財政出動によって橋や道路など公共事業を増やし、金融緩和によって民間企業の投資活動を後押しする。しかしシュンペーターは、適切な財政政策と金融政策を前提とした上で、「イノベーション」こそが経済成長の主因となると考えた。

経済学には「平均利潤率」という考え方がある。企業は事業で利潤を上げると、それを利用して設備投資や研究開発を行う。もちろん労働者の給料も増える。つまり利潤というものが経済を成長させるドライブになるため、全体の平均の利潤率を弾き出せば、それが経済成長の指標になるというわけだ。

シュンペーターの理論の画期性は、この従来の考え方に異を唱えたところにあった。なぜなら、経済の世界では価格競争の原理が働く。よって実際に競争が行きつくところまで進むと、利潤が限りなくゼロに近づき、最後には投資に回す分がなくなってしまうはずではないか、と。

では、経済成長を生む本当の要因は何か。それが「イノベーション」だとシュンペーターは考えたのだ。

ここでキーワードとなるのが「新結合」という言葉。シュンペーターは自身のイノベーションに関する理論の中で、「新結合」を生み出す条件として次の五つのパターンがあることを指摘している。①新しい財貨（商品の生産）、②新しい生産方法の導入、③新しい販売先の開発、④新しい仕入先の獲得、⑤新しい産業組織の実現、だ。

ケインズ的な財政出動や金融緩和か、シュンペーターの唱えるイノベーションか――どちらが経済発展に寄与するかは、神学論争のような議論がある。ただ、楽天を率いてきた僕は、言うまでもなくシュンペーターの理論に強く惹かれる。この五つのイノベーションセオリーの枠内には、まさにインターネットによって起こったことの全てが収まっているように思えるからだ。

テクノロジーの「新結合」

ここから見えてくるのは、日本の長きにわたる衰退の背景には、イノベーションを生み出すこれらのセオリーの軽視があるということ。

最近も、日本独特の押印という商慣習がデジタル化を巡る議論の中で問題になった。印鑑だけではなく、未だに対面でのやり取りや書面交付の原則にこだわり続けるような環境も、イノベーションを阻害するものの象徴的な事例だ。シュンペーターは「クリエイティブ・ディストラクション（創造的破壊）」という言葉を使ったが、創造のためには常に破壊が必要なのである。

確かに、日本はこれまで世界でも存在感のある「インベンション」を生み出してきた。だが、それらの技術を結合し、イノベーションを起こしていく仕組みや環境作りをしてこなかった。ＤＶＤや光ファイバーといった技術を開発できても、それをｉＰｈｏｎｅのような「新結合」型の商品に繋げるビジネスイノベーション力、国際展開力が圧倒的に不足していたのだ。全く同じアイデアを持っていたｉモード搭載の携帯端末が、結局はガラパゴス化してしまった例を見ても分かるだろう。

今後、様々なテクノロジーの「新結合」によって、新しい世界を作り出していく力はさらに重要になっていく。成長を牽引する優秀な人材を国内外問わず集め、育成して活用する。同時に市場を縛る規制を緩和し、イノベーションが起きやすいガバナンスの仕組みをいかに構築していくか。「未来」を作り上げていく上での重要な問題意識である。

2　山中教授に見るアントレプレナーシップ

僕がいつも繰り返し語っていることの一つに、「アントレプレナーシップこそが未来を創る」というメッセージがある。

この「アントレプレナーシップ」という言葉に出会ったのは、僕が日本興業銀行時代の1990年代前半、ハーバード大学にMBA留学をした際の講義だった。当時の僕はまだ20代。日本では「ベンチャー」という言葉も、まだ一般的ではなかった。

ハーバードのビジネススクールではその頃、「アントレプレナーシップファイナンス」は最も人気のある授業だった。ところが、「アントレプレナー」を辞書で引いてみると、「起業家」と書かれている。最初は「どうして中小企業を立ち上げることが、そんなに重要なんだろう」と素朴に思ったものだ。

でも、アメリカでの2年間の勉強を終える頃には「アントレプレナーこそが経済のドライブである」という思いを強く持つようになっていた。

経済学者のシュンペーターは、イノベーション理論を実行する主体を「アントレプレナー」と呼んだ。ただ、日本では「起業家」と「アントレプレナー」が、どうしても混同して語られる傾向にある。だけど、実は両者は似て非なるものだ。アントレプレナーは「起業家」というより、どちらかと言えば「実業家」と表現する方が僕にはしっくりくる。

では、「実業家」とは何か。それは、自らリスクを取り、新しいことを実行していく存在のことだ。

米大統領も就任演説で

例えば、ビジネススクールの講義でも紹介される有名なエピソードに、こんな話がある。ニューヨーク市の道路が片側一方通行だった時代、ある女性が「これ、なんで2レーンにしちゃいけないの？」と素朴な疑問を抱いたという。市議会は「そのようなことにバジェット（経費）はかけられない」と相手にしなかったけれど、その時、「じゃあ、俺がぜんぶ払うよ」と一人の実業家がリスクをとった。すると交通が一気にスムーズになって、世界中に複数車線という概念が広がっていった——。

この実業家のように、リスクを取って世の中を変える人物こそが、どんな時代においても「未来」を創っていく。「アントレプレナー」の社会的な役割だろう。

アントレプレナーはもともと「ｅｎｔｒｅｐｒｅｎｅｕｒ」というフランス語が語源で、「仲介する者」といった意味がある。確かに、アントレプレナーは道路を作るための「技術」を開発するわけではない。でも、その技術の使い方や組み合わせによって、これまでにはなかった新しいサービスやアプリケーションを生み出し、世界を変えていくのだ。

こうした「アントレプレナーシップ」のパワーを最も信じているのは、やはりアメリカだろう。ビル・ゲイツ然り、マーク・ザッカーバーグ然り、一般的には「発明家」と呼ばれるエジソンだって、技術の「使い方」によってイノベーションを起こしたという意味ではそうだ。

実際に世界の時価総額トップ50の企業を見れば、半分以上はこの30年の間に設立された会社であることが分かる。アントレプレナーシップを発揮してきた人々が、アメリカのエンジンとなってきたのだ。

だからこそ、アメリカでは大統領の就任演説の時、「アントレプレナーシップ」への言及がほぼ必ずなされる。世の中を変えるのは決して政治家や官僚ではなく、彼らの持つパワーである、と。

翻って日本ではどうか。政治家や官僚が未だに経済や産業をコントロールしようとしている。だから、少しでも新しい試みをしようとすると、「打率10割でなければ駄目」と圧力がかかって、潰されかねない。株式マーケットも企業に対し、どうしても安定的な経営を求めがちだ。思い切った事業内容の変更も、危機に瀕して初めて行われる。でも、今の時代はそれではあまりに遅いのだ。

再生医療の「ＯＳ化」

もちろん、日本にだって「この人は本当にアントレプレナーシップを持っているな」と感じる人はいる。

例えば、ヒトｉＰＳ細胞の研究で、ノーベル賞を受賞した山中伸弥教授はその一人だ。彼とは10年来の付き合いで、楽天メディカルの事業についても「これっていけると思いますか？」と友人として相談に乗ってもらったこともある。

ｉＰＳ細胞の研究で知られる山中さんは「インベンション」の人だと思われているかもしれない。でも、僕からすると彼はまさに「未来」を見ている「イノベーション」の人だ。何よりその研究手法には、「イノベーション」の視点を感じる。

自らが率いるチームの再生医療研究の成果と産業界を繫ぎ、様々な形で情報を活用できるようにプラットフォーム化する。その手法は、再生医療の「ＯＳ化」と呼んでもいいだろう。その果敢なアプローチには、強いアントレプレナーシップを感じさせるものがある。

僕は、楽天の仲間によく「山の向こうを見ろ」と言っている。山中さんもそうだと思うけれど、アントレプレナーは「未来」に向かって行動するからこそ燃え続けていられる。まだ見ぬ山の向こうを見るために、新しい道を切り拓きながら進もうという思いが、あらゆるパワーの源泉になっているのだ。

様々なテクノロジーの分野で革新が起きつつある今は、世界の定義が変わろうとしている時代と言っても過言ではない。通貨の定義、金融の定義、コミュニケーションの定義……。そこに新型コロナウイルスのパンデミックが加わり、人間の価値観も根底から揺すぶられている。

明治維新、敗戦に続く激動の時代だからこそ、この日本において社会の変革をドライブするアントレプレナーシップの重要性はいよいよ増していると思う。どうやってアントレプレナーを生み出し、育て、彼らが活躍できる国にしていくのか、が大事なのだ。

3　大河『青天を衝け』渋沢栄一に学ぶ

普段はあまりテレビドラマを見ないが、2021年のNHK大河ドラマ『青天を衝け』は興味を持って見ていた。自分が起業家として人生を歩んできたせいか、吉沢亮さん演じる主人公の渋沢栄一の生き方に勉強になる要素が多いように感じられたからだ。

NHKのドラマではあまり描かれなかったけれど、伝記や渋沢について書かれた本を読むと、彼は派手な芸者遊びをしたり、妾《めかけ》が何人もいたりして、たくさんの隠し子を持った好色な人物でもあったという。

もちろん、社会的な背景は今と全く異なるわけだが、そうした破天荒な人間臭さにも、何とも言えない面白さがある。

三菱財閥を築き上げた渋沢のライバル・岩崎弥太郎もそうだが、やはり明治という時代にあって、彼らが海外から受けた刺激はとてつもなく大きいものだったのだろう。

渋沢が初めて海を渡ったのは、1867年の第2回パリ万博の時。江戸幕府最後の将軍である徳川慶喜の弟・徳川昭武に付き添い、警護の水戸藩士たちのまとめ役として渡仏した。よく知られている話だが、そのパリでの1年半の滞在経験が、後に500以上の会社の設立にかかわり、「資本主義の父」と呼ばれる彼の原点となったわけだ。

パリでの滞在で渋沢が熱心に学んだのは、ヨーロッパの経済に関する法律、株式会社の意味や銀行の仕組みだった。もともと算術に長《た》けて会計係として随行した彼の目に、西欧の近代的な金融システムや街の姿はどのように映ったのか。

『貞観政要』の逸話

今の埼玉県深谷市の豪農の生まれで、もともとは激しい尊王攘夷論者だった渋沢の中に生じたカルチャーショック――そんなことを自分なりに想像してみるのは楽しい。おそらく、１年半ぶりに戻ってきた日本は、文字通り３００年、４００年は遅れているように感じられたのではないだろうか。

僕は父親の仕事の関係で小学生時代をアメリカで過ごし、日本興業銀行に勤めていた20代の時もハーバード大学に留学した。海外から日本を見ることとの意味は、それなりに身に染みているつもりだ。海外生活の体験によって、自分の住む国の姿は少なからず相対化され、時に人生をガラリと変えてくれることもある。

経営者になった今も、その感覚は変わらない。だからシリコンバレーにも家を持っているし、現地の起業家や経営者の友人たちと話したりしていると、本当に色々な刺激を受ける。

そうした中で折に触れて実感することがある。それは、「未来」とは、「いつも半分くらいは見えているが、残りの半分はまだ誰にとっても暗闇の中にある」ということだ。

仮説を立て、その半分だけ見えている「未来」に果敢に分け入り、暗闇の中にある道なき道を進む者だけが、その先にある世界を本当に作り出していける。けれど、ブレーキを踏まずに暗中模索で進んでいくためには、覚悟が、いや、〝ぶっ飛んだ感覚〟がどうしても必要になる。日本の資本主義の父とも言える渋沢栄一もまた、まさにそのような実業家であり、超がつくほどのアントレプレナーだったのだろう。

7世紀前半の唐の皇帝・太宗の統治を取りまとめた中国の古典で、ビジネスの世界でもよく引用される『貞観政要《じょうがん》』には、リーダーの心得を説いた「三鏡」という有名な逸話がある。

三つの鏡――すなわち「銅の鏡」で自分の表情を確認し、「歴史の鏡」で過去から物事の盛衰を学び、「人の鏡」でいまやっていることを周りがどう思っているかを知り、自らの行いを省みる。この三つの鏡を持つことが、組織を率いる者にとって重要だというものだ。

僕はこの『貞観政要』の逸話を気に入っていて、楽天で常識を打ち破るような事業を考えたり、ここぞという重要な経営判断を行ったりする時には、「歴史の鏡」を見るようにしている。「渋沢栄一だったらどうするかな」「でも、岩崎弥太郎ならこういうアプローチで行くかもしれないな」などと考えて、大きく舵を切っていく。

迫力ある経営者が減った

振り返れば、戦後の日本には渋沢栄一や岩崎弥太郎と同じように、未来を見て行動していた起業家が数多くいた。本田宗一郎しかり、松下幸之助しかり、盛田昭夫しかり……。彼らの一人ひとりが、おぼろげながらに見えた「未来」の向こう側へと進んだ人物に他ならない。例えば、盛田昭夫がソニーというエレクトロニクスの会社で、コンテンツの領域に踏み出したのは、その象徴的なケースだろう。

ただ、残念ながら、彼らのような迫力ある日本の経営者は、1980年代前半から中頃にかけての「ジャパン・アズ・ナンバーワン」と謳われた時期を境に、減っていったように感じられる。

それは日本が豊かになったことと無縁ではないだろう。既存のビジネスが大きくなりすぎると、「君の言う通り、未来はそうなんだろうね。ちょっと協力するよ」「それは確かにそうなる。面白い」と言うばかりで、その先にある暗闇へとどうしても踏み出し難くなる。

もちろん、既存の事業を守ったり、成功したモデルを真似して導入したりしていくことも、立派なビジネスだ。特に日本は昔から、他国のビジネスを自国流にカスタマイズするのが得意と言われる。

だけど、「ものづくり日本」という過去のキーワードに囚われ続けていては、世界を変えていく凄まじいスピード感についていけない。ロボットやＡＩの技術は日進月歩で進んで、ブロックチェーンのような新しい技術も次から次へと生まれる時代だ。

僕は、未だ見えていない「未来」の領域に半歩先、一歩先と踏み出していく生き方を選びたい。そんな〝令和の渋沢栄一〟のような人生に、何よりも大きな魅力を感じるのだ。

4 年末年始にスキーをしながら考えたこと

毎年、年末から新年にかけての休みは、家族と一緒に群馬県でスキーをして過ごしている。

スキーは高校生の頃からやっていたのだけれど、本格的に始めたのはこの10年ほどのこと。プロの指導も受けてトレーニングを積んだ甲斐もあって、かなり自由に滑ることができるようになった。

僕がスキーというスポーツを好きなのは、自分の性格に合っている気がするからだ。

スキー場でダウンヒルを滑っていると、刻々と変化していく雪面の状況に対応しながら、どれだけのリスクを取るかを瞬時に判断していかなければならない。そんな中、様々な形のコブや斜面を克服していく瞬間には、新しい事業に取り組む時にも似たチャレンジ精神が湧く。何より雪の中を滑っているのは単純に気持ちいい。滑り終わった時は気分がとても落ち着いて、心からリフレッシュされたように感じる。

ただ、こうした休暇中も、頭の中から「仕事」のことが消えるわけではない。楽天を起業して以来、「休んでいる」「働いている」といった感覚は自分の中からなくなった。

仕事をしていても遊んでいるような気がする時もあるし、逆に休んでいても「これはビジネスになるかな」「こういうところにＡＩを活用したらどうだろう」と、目の前の光景を仕事に繋げる発想が癖になってしまっている。楽天が３万人規模の社員を擁するようになった今は、大っぴらに「仕事も遊びみたいなものだ」と言うことはできないけれど、その感覚は自分の原動力の一つであり続けている。

Ａ４の紙を用意して

それに、年末年始の休暇は、僕にとって、ビジネスにおける「根源的な価値」の創造をじっくりと考える大切な時間でもある。ビジネスにおける「根源的な価値」とは何か。

例えば、「インターネット」の根源的な価値とは、単にパソコンで情報が簡単に手に入ったり、買い物が便利になったりするということではない。人々が大量の情報を同時に入手・発信するようになると、これまでは一部の人びとが独占していた情報や知識の格差が一気に縮小されていく。そこにこそ、インターネットの根源的な価値があったわけだ。

インターネット環境の中で暮らし始めた多くの人々を「エンパワーメント」し、社会の構造そのものの変革を後押しする――楽天の様々なビジネスもまた、そうした根源的な価値創造の追求から生まれたものだった。「人がものを買うとはどういうことか」「貨幣とはそもそも何のためにあるか」。そうしたテーマの根源的な価値を見据えることなしには、新しい事業やイノベーションは生まれないと、僕は思っている。

だからこそ「未来」を見つめる視点が大切なのだが、次々と「目の前の課題」が降りかかってくる日常の中にいると、それを考えるためのゆとりが足りない。そこで僕はスキーを楽しむ1週間ほどの年末年始休暇の中で、ビジネスの種となりそうなテーマや気づきを整理する時間を意識的に作っているというわけだ。

やり方はこうだ。

まずA4の紙を用意し、頭の中にぼんやりとしたまま放置していたモノや人、アイデアのキーワードを書き出す。それらを「通信」や「エネルギー」、「医療」といったカテゴリーに分けたり、それぞれの要素を線で結んだりして、一つの大きな図として表現していく。

この作業に一人で黙々と取り組んでいると、曖昧だった要素の一つひとつが繋がり、それぞれの関係性や意味が浮かび上がってくる。すると、物事の本質が徐々に言葉として現れ、「そもそも、これはどうする？」「このビジネスは諦めよう」「ここはガッツを持ってやるぞ！」と考えが整理されていく。

「ギジュツ」を世界に

2022年の僕のキーワードを一つ挙げるとすると、それは「技術」だった。僕は少し先の「未来」について考える時、だいたい「3年後にこの社会はどうなっているかな」と思い描くようにしている。

例えば、前述のように今の楽天グループの社員は3万人規模。3年後はそれが3万人から4万人になっているかもしれない。そのためには、どんなマネジメントが必要になるのか。あるいは、昨年は楽天のショッピング関連の流通総額が5兆円規模になった。将来的にその数字が10兆円という規模になった時、僕らのビジネスはどうなっていくのか。

そうした「未来」を描く時、「今年の最大のテーマは何よりも『技術』だ」と思った。日本の大きな弱点はイノベーションを生み出す「応用技術」の力が足りないことだ。

確かに基礎技術では、国際的な存在感がまだある。けれど、「テレビを全てスマートTV化する」「通貨をデジタル化する」といった応用技術の分野で、イニシアチブを取っていくことができていない。iPhoneやテスラのコアなパーツに日本製の部品が使われていても、iPhoneやテスラそのものを生み出すイノベーションの力、それを世界中に広めていくマーケティングの力が圧倒的に不足しているのだ。

この「応用技術」で世界的な存在感を示していくことは、日本の「未来」にとって最も重要なテーマだろう。もちろん、楽天グループにおいても、約1万人いるエンジニアの能力を存分に引き出しながら、楽天のプラットフォームをより強くしていきたいと考えている。

品質の高い「ジャパン・エンジニアリング」――。かつて「トヨタ式カイゼン」の「カイゼン」がそうなったように、「ギジュツ」という言葉を世界中に通じる日本発の概念にできないか。僕は2022年をそのための「最初の一年」として位置づけたのだ。

5　役員との谷川岳登山を続ける理由

楽天グループは２０２２年2月7日に創業25周年を迎えた。ここまで会社を大きくするまで本当に様々な浮き沈みがあったけれど、事業を進めていく日々のなかで、僕が大事にしていることが一つある。

それは、様々な「ルーティン」を意識的に続けるようにしていることだ。

例えば、新年は創業時のオフィスだったビルの近くにある愛宕神社に参拝し、役員一同で一年の無事と飛躍を願っている。参拝の行列の様子を見るのが、今年も実に感慨深かった。

今から四半世紀前、ゼロから起業を志した時、「企業は世の中に対して何をするべきなのか」ということを自らに何度も問いかけた。その中で言語化した「付加価値を生まないサービスには意味がない」という信念で、これまでビジネスを展開してきた。

こうして25周年という節目を迎え、「今の自分は何合目にいるのだろうか」とふと考えたりもする。これまで山登りで言う「7合目」あたりに来た時に、必ず次の目標を設定するということを繰り返してきた。そうした時間の感覚を抱けるのも、正月の参拝というルーティンを続けてきたからだと思う。

あるいは月曜日の朝、自分の机やオフィスを掃除することも、僕にとっては欠かせないルーティンの一つだ。自分のデスクの上や椅子の脚を拭き、モップで周りの床を拭いてから、窓のサッシもきれいにする。普段は清掃員の方がしてくれる仕事だけれど、どれだけ忙しくても、月曜日の朝だけは自分で行うようにしている。そうすることで、気持ちを初期化できるからだ。

他にも会社では、ときどき10分ほどの瞑想の時間を用意することもある。そんなふうに「会社のみんなで何かを続ける」という話をすると、ちょっと古風なものを感じる人もいるかもしれない。

Practiceの効果

けれど、僕は、このようにルーティンを意識的に持つ姿勢は、楽天グループにとっての大切なCulture（文化）を作っていく、と日ごろから従業員には伝えてきた。

それには明確な理由がある。

僕が、自分に対しても従業員に対してもルーティンを敢えて作るのは、「Practice（習慣）」の持つ効果の大きさを知っているからだ。それは何か。

Practiceを重ねることで、精神状態を「いつもと同じ状態」に保つことができる。

ビジネスの現場では、社長であっても部長であっても新入社員であっても様々なレベルで、難しい局面や悩みに直面するものだ。

そうした困難を克服して足を前へと進めるためには、どんな状況に置かれても決して感情的にならず、冷静沈着に判断を下さなくてはならない。自己顕示欲を捨て、自己防衛に走らずに、間違いがあれば素直に認めるという姿勢を貫く。そうした姿勢が、最終的には予測不能な「未来」に対峙する力となる。

逆に言えば、「未来」に対峙する力を手に入れるためには、「いつもと同じ」冷静沈着な状態を維持するためのＰｒａｃｔｉｃｅが欠かせないということだ。

そのように僕らが続けているルーティンの中で、この10年の間に大きなイベントとなったものの一つに、「谷川岳登山」がある。毎年9月に、世界中から健康状態に心配のない執行役員を集め、いち早く秋の気配の漂い始める谷川岳に登っている。

群馬県と新潟県の県境にある谷川岳は、標高１９７７メートルの美しい山だ。一ノ倉沢というロッククライミングの名所、険しい岩場があることでも知られる。

僕らの登山では、体力に自信のない人はロープウェイを使って天神平スキー場の登山口から登る。一方で自信のある人は「日本三大急登」の一つに数えられる西黒尾根のルートを選ぶ。西黒尾根は登り始めから急な登りが続き、森林限界（高山などで森林が生育できなくなる限界高度）を越えてからは岩壁の切り立った絶景が広がる。ちょっとした岩場も多くて、とてもバリエーションに富んだルートだ。僕は毎年、このルートで頂上を目指している。

登山のプロセスを楽しむ

僕がルーティンの一つとして登山を始めたのは、「山を登る」という行為には大きな学びがあると感じたからだった。

一つの尾根を越えればこれまで見えなかった風景が見え、山頂に辿り着けば別の山々の頂がまた見えてくる。足元を一歩一歩確かめながら、自分の頭で考えて登っていくプロセスはビジネスにも通じる。

何より山を登ることは楽しい。ただ、そこで大事なのは、「なぜ楽しいか」を考えることだ。勉強であっても仕事であっても、人間というのは大変さの中に「楽しさ」を見出せる性質を持っていると思う。

そして、その「楽しさ」について突き詰めて考えると、そこからは様々な本質が浮かび上がってくる。単に「登山をすればいい」ではなく、登山のプロセスを最大限に楽しみながら、その先にある何事かを自分の頭で認識してもらいたい。

「何のためにやるのか？」「なぜ登山を続けているのか？」という問いを、自分自身に投げかけてみる。個人的な達成感を目指すことも重要だが、みんなで一つの目標を達成した時の充実感は何物にも代え難いものだ。毎年の登山は体力的にはハードだけれど、そのことの意味を実感とともに教えてくれる。

僕がこのような様々なＰｒａｃｔｉｃｅを用意し、仲間たちを巻き込んでいくのは、それがいずれは会社の土台を作っていく「仕組み」だと考えているから。登山も同じで、考えるための「仕組み」の一つなのだ。

Ｐｒａｃｔｉｃｅを意識的に続けていると、次第にそれは会社全体のＶａｌｕｅ（価値）となる。そして、Ｖａｌｕｅはいずれ Ｃｕｌｔｕｒｅとなって浸透していくだろう。「未来」もまた、そのように地道に作られた土台の上に築かれるもの——僕はそう確信している。

2

ジョブズやマスクは どこが違うのか

6 スティーブ・ジョブズが重ねた「失敗」

僕が楽天を創業した25年前と今とを比べても、日本社会はまだまだ「ベンチャー」に対して「怪しげなもの」というイメージがあるのではないだろうか。その裏返しとして多くの人が抱いているのが、「大企業はしっかりしていて何となく安心」という感覚だろう。

でも、現実を見渡してみれば分かる通り、いま、「未来」を率先して創造している企業――グーグルやマイクロソフト、フェイスブック、テスラなど――は、全てベンチャーがメガベンチャーに成長した企業であるという事実を忘れてはならない。

なぜ世界をリードする企業は決まってベンチャーなのか。それは彼らが何よりも「スピード」を重要視して事業を展開していくからだ。

企業というものは大きくなればなるほど、様々なビューロクラシー（官僚制）が組織の中に生じ、仕事の承認プロセスが複雑化していくもの。また、大企業では何かの新しいビジネスの試みが成功したとしても、それは巨大な事業全体の一部であって、担当者の給料が一気に上がることもない。

一方で市場への挑戦者であるベンチャーは、リスクを積極的に取っていかなければ成功をそもそも手にできない。アメリカという国でメガベンチャーが次々と誕生するのは、そのために必要な「スピード」を高く評価する社会であるからだ。

例えば、楽天グループ関連会社であるバイオベンチャーの楽天メディカルでは、がんの光免疫療法の研究をしている。その新しい治療法は、アメリカ国立衛生研究所（ＮＩＨ）からライセンスを受けたものだ。当時まだ小さなベンチャーだった会社がそのライセンスを取れた理由は、武田薬品や塩野義製薬といった大手製薬会社が有利な日本と比べ、アメリカのＮＩＨにはベンチャーに対して優先的にライセンスアウトをしていく制度があるからだ。

失敗にマネーが集まる

テスラが電気自動車にフォーカスするように、「一つの製品だけに集中する」というベンチャーのスピードに対する期待が、そこにあるからである。

「スピード」を積極的に評価するアメリカ社会の姿勢は、ベンチャーを支えるベンチャーキャピタル、さらには法律や制度などを含めて大きなコンソーシアムを構成している。

そうしたコンソーシアムの中で意識されているのも、「未来」に対するビジョンだろう。未来がどのように変わっていくか――ベンチャーの多くはそれを予測して新しいビジネスを始める。彼らは常にリスクを取って「走りながら考える」ため、新たな事業の周囲には様々な課題が浮かび上がってくる。

シェアリングエコノミーや暗号資産にも当初は賛否両論があったように、その課題は時に社会との軋轢《あつれき》を生む。それでも「やっぱりそっちの方に行くよね」という大きな流れに対し、常に柔軟に対応していこう、という前提が彼らにはある。

また、アメリカのベンチャーを巡る環境について考える時、もう一つ重要なのが、「失敗」に対する捉え方が日本と全く異なることだ。

アメリカのベンチャー企業に投資をするようになって僕が驚いたのは、彼らが事業の「失敗」を全く悪びれないことだった。日本なら、起業家は事業に失敗すると「申し訳ありません」と投資先に頭を下げるものだ。だが、彼らは同じような場面でいたって平気な顔をしている。投資家もまた、「ああ、失敗したの。次は頑張ってね」という雰囲気なのだ。

そこで起業家と投資家の双方が共有しているのは、その「失敗」こそが大きな学びとして評価されるべきものである、ということだった。

起業家は「失敗」を次の成功のために活かそうとし、投資家は「彼はあの失敗で学びを得たはずだ」とそれを称賛さえすることがある。実際に一度目は時価総額200億円だった会社の経営者が事業の失敗後に作った新しい会社に500億円の評価がつく——といったことがアメリカでは普通に起こる。そこに、大量のドリームマネーが集まるのだ。

「ソニーの〝いいやつ〟に」

投資家が「失敗」を経験した起業家を評価するのは、それがまさに「未来」を構想してイノベーションを起こす新しいアイデアの源泉になるからに他ならない。彼らの事業にとって「失敗」は糧であり、それが花開いた際のアップサイド（伸びしろ）の大きさを、投資家たちはよく理解しているのだ。

そもそもあのスティーブ・ジョブズでさえ、ｉＰｏｄというあまりに大きな「成功」を生み出すまでに、様々な「失敗」を経験しているのは、今では誰もが知る事実だろう。

アップルの創業者の一人であるジョブズが、自ら開発を指揮したマッキントッシュを発表したのは１９８４年のことだ。だが、その商品は評価こそされたとはいえ、販売ではマイクロソフトに全く勝てなかった。その責任によって彼は翌年に全ての役職を解任され、自ら創業した会社を追い出されるように去った。

その後、ピクサー・アニメーション・スタジオを買収したり、ＮｅＸＴ Ｃｏｍｐｕｔｅｒを新たに創業したりした彼は、アップルにＮｅＸＴを売却して１９９６年に復帰を果たす。

これはある経営者から僕が聞いた話だが、その時にジョブズはこう言ったらしい。

「俺は今までマイクロソフトと戦おうと思っていたけれど、よく考えればソニーの〝いいやつ〟になればいいんだよな」と。

コンピュータのハードでマイクロソフトという巨大な相手と戦うのではなく、ソニーのウォークマンに勝つ――。そこには過去の「失敗」から得た新しい視点があった。そうして作られたｉＰｏｄが、現在のｉＰｈｏｎｅというコンセプトへと繋がっていった。

この有名なジョブズのエピソードは、「未来」を生み出す力の源泉がどのようなものであるかを教えてくれる。様々な「成功」は「失敗」と表裏一体のものであり、その両者が互いに混じりあうダイナミズムこそが、「新しい世界」を創造していくのだ、と。

7　シリコンバレーでのバーベキュー

アメリカのシリコンバレーにある自宅で、僕は10年くらい前から友人を呼んでバーベキューパーティを開いている。

近くに暮らす起業家やベンチャー投資家の知人を家族ぐるみで招待するのだけれど、せっかく来てくれるのだから日本の文化にも触れてもらいたい。そこでいつも日本食を出すだけではなく、綿菓子や金魚すくいなんかも用意して、日本のお祭りの縁日のような雰囲気を作っている。

フェイスブックのシェリル・サンドバーグ、セールスフォースのマーク・ベニオフ、ペイパル創業者のピーター・ティールや投資家のベン・ホロウィッツ、エバーノートを作ったフィル・リービン。ウーバーを創業したトラヴィス・カラニックも、バーベキューに招待しているメンバーの一人だ。

彼らに共通する雰囲気を表現するとすれば、普通なら「無理だ」と多くの人が思うようなことを、「実現できる」と思い込んで前に進んでいくエネルギーが桁外れに大きい、と言えばいいだろうか。羊みたいに大人しい人もいれば、見るからに凶暴なライオンや突進してきそうな猛牛みたいな人もいるけれど、その中身がそれぞれの形で「ぶっ飛んでいる」

ように感じられるのだ。

ただ、一方で僕が心地よさを感じるのは、そんな彼らにほとんど権威主義的なところがないからでもある。それは「規制」の少ない環境の中で、挑戦的な試みをしてきた人たちならではの余裕なのかもしれない。

アメリカにはアップルやグーグルにも投資してきたクライナー・パーキンスやセコイアといった巨大ベンチャーキャピタル（ＶＣ）があって、それらが「エコシステム（事業生態系）」として機能している。

速度は今の約10万分の1

今は大きな成功を収めている彼らも最初は「単なる兄ちゃん」がほとんどで、ＶＣからの投資と成功体験を重ねながら、経営的なノウハウを身に付けてきた。だからこそ、彼ら自身の中には「自分はたまたま成功した」という感覚があるようで、今は事業に失敗して再起を考えている起業家や小さなベンチャーの若者に対しても、対等に付き合っていこうという雰囲気があるのだと思う。

さて、そんな彼らと僕に共通しているのは、「インターネット」の黎明期に人生をかけて勝負に出た経験を持つことだろう。

一つ前の世代に当たるマイクロソフトのビル・ゲイツやアップルのスティーブ・ジョブズは、ガレージでコンピュータを組み立て始めるような「オタク」たちだった。対して次の世代に当たる僕らにとって、革命的に「未来」を変える技術に見えたのがインターネットだった。

僕が日本興業銀行をやめて起業した1995年頃、インターネットのスピードは14・4kbps（キロビット毎秒）。今の約10万分の1だった。まだよちよち歩きの赤ちゃんのようなもので、ほとんどの人が速度の遅さから「インターネットはまだビジネスにはならない」と思っていた。

それでも、この技術に世の中に革命をもたらすという「未来」を感じ取った人たちがいた。僕もその中の一人だったと自負している。

では、なぜ僕らはその「未来」を感じ取ることができたのだろう。それは、色眼鏡を外して「インターネット」という新しい技術の本質を見ていたからに違いない。

インターネットの「本質」とは何か。標準的に利用されるTCP／IPという通信プロトコルだ。テキストであれ、画像や音声、動画であっても、インターネットでは全てのデータの通信がTCP／IPという同じフォーマットで行われる。つまり、重要なのは通信速度ではない。あらゆる種類のものを同一のデータとして扱える性質であり、そこにインターネットの本質があった。

ならば、その「本質」は僕たちの生きるこの社会に、どんな変化をもたらし得るのか。

同じフォーマットで

インターネットというインフラがない時代、データにはその特性ごとにフォーマットが必要だった。誰かに手紙を届けるには郵便、映像の送信はテレビ波、ラジオには異なる周波数の電波、固定電話をかけるには電話線が必要であるように。ネットはそれらの全てを同じ電子フォーマットで扱えるわけだから、「情報の流れの革命」が必ず起こる——。

もう一つ重要なのは、ＨＴＭＬというハイパーリンクのシステムだった。この仕組みによってこれまでは「図書館」や会社の「資料室」、それぞれの「パソコン」の中にあった情報が、リンクを通じて繋がっていく。インターネットは理屈上、あらゆる人があらゆるデータを閲覧できるという点で革命的だったのだ。

多くの人がインターネットを「遅くて使えない」と言っていた時、新しい事業をその世界で始めようとしていたアントレプレナーたちは、この二つの特徴が世の中を根本的に変えることを直感した。

もちろん、その時はビットコインの登場や、ビッグデータを活用したＡＩの進歩をクリアに見通すことまでできていたわけではない。

だけど、彼らはインターネットの発展の先にある巨大なネットワークという仮想現実の世界が、実は目の前のリアリティを超える力を持ち始めることを確信できていた。その時、目の前に広がっていたのは、まさに西部開拓のような時代がビジネスの世界で始まるぞ、という大いなる予感だったと言えるだろう。

僕がシリコンバレーで一緒にバーベキューを楽しんでいるのは、インターネットの黎明期にその可能性を確信したアントレプレナーたちだ。「ぶっ飛んでいる」という雰囲気を彼らが一様に持っているのは、その荒野に恐れを知らずに飛び込み、馬車で走り出した経験があるからなのだ。

8　イーロン・マスクとのカラオケで

僕がイーロン・マスクという起業家に初めて会ったのは、２０１４年頃のことだ。投資銀行を辞めてプライベートファンドをしていたアメリカ人の友人に、「俺のパートナー」だと紹介されたのがイーロンだった。

当時、彼は従兄弟のリンドン・ライブとピーター・ライブが創業した「ソーラーシティ」の構想など、太陽光エネルギーのもたらす未来についてずいぶん熱心に語っていた。後にテスラが買収する同社の事業は、結果的に大きな「失敗」とも今では酷評されている。でも、太陽光によって効率的なエネルギーの再利用と消費を目指し、持続可能な未来を作り出そうという彼のイメージは、テスラやスペースXの事業に連なっているものだ。

そんな壮大な構想を話すイーロンは、とにかく「面白そうな兄ちゃんだなァ」という印象を抱かせる。僕ももっと話をしてみたくなり、シリコンバレーの自宅で毎年やっていたパーティに誘うようになった。

規制の多い日本市場

香港にいた彼からアシスタントを通じて連絡があったのは、それからしばらく経った頃だった。

「イーロンが東京でカラオケをやりたいと言っているんだけれど、案内してくれる?」

「ああ、いいよ。行こう行こう」

彼はそんな軽いノリで東京にやってきた。そして、実際にカラオケに行って歌をうたった後、少しだけビジネスの話もしたのを覚えている。

「テスラのモデルSを日本でどう売るか」についていろいろと考えを巡らしていた彼は、日本法人の社長候補を探しているとも言っていた。

でも、モデルSという自動車は確かに性能がすごく良いけれど、日本の狭い道路事情には合っていないように僕には思えた。

「もっと小さな車が出た時、また考えよう」

そんな感想を伝えると、ビジネスの話は終わりだった。

イーロンは日本という国の技術に対しては、リスペクトを持っているようだった。何しろテスラの電気自動車に使われているのはパナソニックの電池だ。それに彼らが車を作っているのも、元はトヨタとGMの合弁会社だったNUMMI(ヌーミー)だから。

ただ、日本には様々な規制があって、自動運転にしても、シェアリングエコノミーにしても、彼が思い描くような自由なイノベーションが起こりそうにない。多くの規制に合わせた車のカスタムメイドも必要なので、テスラにとってはあまり魅力的なマーケットではなかっただろう。

結局、その後のテスラは知っての通り、中国を筆頭に世界中で売れるようになった。以来、イーロンから見た日本市場は、さらに「面倒くさいから、あとでいいや」という場所になっていそうなのは残念だ。

それでも、そのイーロンのビジネスのやり方を見ていると、僕は強く実感することが一つある。

それは「未来」を構想していくためには、「素人」として物事を観察する姿勢がとても大事だということ。それもただの「素人」であるだけではなく、どこまでも徹底したスーパーアマチュアであること――。というのも、イーロンの事業のほぼ全てが、そうしたアマチュアの視点から「そんなの、こうすればいいじゃん」と考えた発想で、業界の「常識」とされているものに切り込んでいったものだからだ。

彼が取り組んでいる自動運転車であれ、宇宙船のクルードラゴンであれ、自動車業界や宇宙航空業界にはこれまで培われてきた長い経験と歴史があった。

もちろん、コツコツと問題点を見つけ出し、少しずつ製品を改良し、より良いものを作っていこうとする時、経験や歴史の積み重ねがものを言うだろう。だけど、時代が大きく移り変わっていく時には、その経験や歴史が自由なものの見方を阻害してしまうことがある。それらが作り出す既成概念に、彼ら自身が縛られてしまうからだ。

素人の視点こそが

では、そうした「業界」の既成概念にとらわれず、色眼鏡を外して物事をシンプルに見るためにはどんな姿勢が必要なのだろうか。それこそが物事を「アマチュア」として見ることだと、イーロンのキャリアは教えてくれているように僕は思う。

彼は自動車のスペシャリストではなかった。だからこそ、例えばゴルフ場で使われているゴルフカートなんかを見て、「電動自動車というのは、アレをもっと速く走れるようにすればいいいんだろ？」という感じでモノづくりを始めることができた。

それだけじゃない。車の自動制御の技術をテスラに装備してみれば、「この技術は車だけのものではない」とすぐに思って、「同じ発想で宇宙船を作ったらいいじゃん」という感覚で宇宙事業にも踏み出した。

イーロンは2013年8月に「ハイパーループ」という次世代の高速輸送システムの構想も発表している。真空状態に近いチューブの中を空中に浮かんで走行する――。それも「摩擦がなければワシントンからサンフランシスコまで5時間で行けるよね」と、極めて単純に考えられた発想だ。

彼の強みとはアマチュアであることで、だからこそ、いきなり「火星に行くぞ」なんてことも大真面目に言える。「未来」を想像する彼の姿勢は常に一貫しているわけだ。

全く自動車の技術を知らない素人が「3000個の電池をつなげれば、とても速い電気自動車が作れる」と言い始めるのは、自動車業界のスペシャリストからすれば、まるで子供の無邪気な発想のように見えるかもしれない。その発想に対して、専門的な視点から「できない理由」を数え上げることもできるだろう。

だけど、実際に誰も見たことのない「未来」を作り出すためには、そうした「できない理由」をいったん横に置いて、物事の本質だけを見据えるシンプルなものの見方が必要なのだ。まさに無邪気な素人の視点こそが、時にその本質を照らし出すからである。

9　3時間遅れてきたウーバー創業者

1995年のある日のことだ。日本興業銀行をやめて起業しようとしていた僕は、アメリカのアトランタでとても印象的な光景を見た。

その日、CNNに勤める友人に会いに行くと、同社のオフィスにはインターネットによるニュース配信の部署に800人近い社員が配置されていたのだ。1995年と言えばまだインターネットの通信速度は極めて遅く、日本の新聞社の配信事業の部署にいるスタッフはせいぜい4、5人、という時代。あの頃、日本のマスコミにとってニュース配信事業などは、全く力を入れるような分野ではなかった。

ところが、「売り上げはどれくらい?」と、そのCNNの友人に聞くと、彼は「そんなものはまだゼロだよ」と当たり前のように言う。たとえ売り上げが全くなくても、アメリカでは「ニュース配信」というこれから確実に来るだろう「未来」に対して、CNNのような伝統的な大メディアが大きなリソースをすでに割いている……。

「既存のビジネスをどうやって守るか」を日本の大企業が考えている時、「やられる前にやる」とばかりに前進しようとする彼らの姿に、僕は凄味を感じたものだった。

世の中が変わっていこうとする時代、「俺が最初にやるんだ」と後ろを振り返らずに走る姿勢は、実にアメリカ的な精神であると思う。

もう一つアメリカらしさを感じるのは、常にプライベートセクターにいる個人や小さな組織というものがイノベーションをリードし、従来の「規制」の枠をはみ出すようにして国をリードしていくことだ。

ブレーキを踏まない

うちの息子が面白いことを言っていたんだけど、アメリカの映画のスーパースターはアイアンマンにしろ何にしろ、大体プライベートセクターの人だ、と。でも、日本のヒーローは公務員や警察官が多い。ウルトラマンだって公務員だ。こんなところにも、文化の違いが表れているような気がする。

では、そのような変革の主体になっていく人々は、一体どのような特徴を持っているのだろうか。

僕はいつも「人間の頭の中にはアクセルとブレーキがある」と言っている。だけど、ここで大事なのは、アクセルを踏むというより、自分でブレーキを踏まないことだ。

「ペイパルの兄ちゃん」だったイーロン・マスクが自動運転車を作り始めたり、いきなり「火星に行く」なんて言い出すと、「目の前にどんな障害があっても、アクセルを踏み込んで突き進んでいく」というイメージをどうしても持ちがちだ。

でも、アクセルを踏み込む力なんて、人によってそう変わるものではない。頭の中のアクセルを全開にしているというよりは、むしろ「ブレーキを踏むつもりがない」と表現する方が、彼らのような人物が物事に取り組む姿勢を理解しやすくなると僕は思っている。

例えば、イーロン・マスクのスペースXは月や火星を目指すに当たって、大型宇宙船「スターシップ」を開発している。この宇宙船は打ち上げ後に自律的に地球に帰還し、再利用されるというコンセプトを持っている。だが、その着陸実験では、２０２１年5月に初めて成功するまでに4回の爆発を経験した。

それでもスペースXの宇宙船の開発が急ピッチで進むのは、イーロン・マスクが一度や二度の失敗では全くブレーキを踏もうとしないから。「今回はダメだったね、次に行こう」と次の試作機を彼は作り、社会の側もそれを許容しているのだ。

こうした「ブレーキを踏まない」というスタイルによって、瞬く間に新しい世界を作り上げようとした最近の起業家といえば、ウーバーの創業者であるトラヴィス・カラニックだろう。

「何百年も牢屋に」

以前、僕が日本でトラヴィスと会う約束をしていた時、こんなことがあった。

韓国のソウルにいた彼は約束に3時間も遅れてきた。なのに、全く悪びれる様子がない。遅れた理由を聞いて、僕はすっかり呆れてしまった。

「ソウルで警察に捕まっていたんだ」

と、彼が言ったからだ。

一体何をしでかしたのかは知らないけれど、タクシー業界が強い韓国で、ライドシェアリングを広げようとする彼はさぞかし要注意人物とされていただろう。

というのも、彼はウーバーの事業を広げていく時に、極めて挑発的な戦略をとったことがよく知られている。アメリカの各州にはライドシェアリングを規制する様々な法律があったが、彼は敢えてそれを無視して事業を展開したからだ。

そして、規制する側との衝突が生じた時は「どちらが正しいか」「どちらが本質的か」という議論を巻き起こしながら、現状の法体系の変更を迫っていった。

「俺が訴えられている刑をぜんぶ合わせたら、何百年も牢屋に入ってなくちゃいけなくなる」

と、彼は冗談めかして言っていたものだ。

現状の社会の常識や法体系を無視して、新たな「既成概念」を無理やりにでも作っていく――もちろんそうした彼の手法には賛否両論があるわけだけれど、本人にしてみれば「車に乗っている人が、ほかの人を乗せたら効率的じゃないか」と単純に考えただけのことだったに違いない。そして、実際に人々から便利だと求められたウーバーは、今では社会で重要なインフラにまでなっている。

「オンラインで本を売ろう」と考えたジェフ・ベゾスだって、「3000個の電池をつないだら速い電気自動車ができる」と思ったイーロン・マスクだって同じだ。

彼らの手法は必ずと言っていいほど現状の社会のあり方と激しく衝突し、様々な軋轢を生んできた。そんな時、それでも彼らはブレーキを踏もうとしない。そこに僕は「未来」を確信する人間の特徴を見る思いがする。

10 日本に足りない「財団」文化

２０２１年10月、プリンストン大学の上席研究員・眞鍋淑郎さんが、気象学の分野でノーベル物理学賞に選ばれた。その中で多くの人の印象に残ったのは、彼が米国籍を取得しており、アメリカの研究環境の素晴らしさをしきりに語っていたことではないだろうか。楽天グループでの事業を通しても、アメリカと日本の研究環境の違いは常に実感するものの一つだ。

アメリカでは企業や研究機関によるＲ＆Ｄ（研究開発）の成果を、いかにグローバルにマネタイズするかが常に考えられている。そして彼らは様々な分野の基礎技術の研究に桁違いの資金を投入しているが、その根底にある考え方や価値観そのものが日本とは大きく異なっているように思う。

例えば、がん治療における楽天メディカルの「光免疫療法」は、もともとアメリカ国立衛生研究所（ＮＩＨ）で開発された技術が元になっている。ＮＩＨはアメリカの保健福祉省公衆衛生局の組織であり、研究開発に使用される資金には多くの税金が投入されてきた。

けれど、そのような研究機関の技術のアウトソース先が、日本人の出資した楽天メディカルという企業だったとしても、彼らは「他国の企業になぜ技術供与をするのか」といったケチなことは言わない。

そもそも僕らの生活やあらゆる事業のインフラであるインターネットだって、もとはARPANETという軍事利用を目的としたパブリックプロジェクトだった。アメリカ国防総省が中心となって開発した全米規模のそのコンピュータネットワークが、後にインターネットとして発展してきた歴史はよく知られている。このように自国の公的な機関で開発された技術をオープンに利用させ、新しいイノベーションに繋げていくという発想は、アントレプレナーシップ（起業家精神）を重視するアメリカの価値観を色濃く反映したものだ。

30兆〜40兆円の資金が

また、そうしたアメリカにおける研究環境を見ていく上で、あまり日本で一般には語られていないのが、「フィランソロピーエコシステム」の仕組みだと思う。すなわち、民間による「寄付」や「財団」の存在が、R&Dの分野に与えている影響の大きさだ。

日本における財団から研究開発に向けられている資金規模は数千億円程度。一方、アメリカでは30兆〜40兆円といった規模の寄付的な資金が、「財団」を通して幅広い研究開発分野に流れ込んでいる。

マイクロソフト創業者のビル・ゲイツの「ビル&メリンダ・ゲイツ財団」などは特に有名だ。同財団は新型コロナウイルスのワクチン開発に多額の資金を投じているだけではなく、貧困や孤児など社会課題の解決、バイオや小型原子炉など様々なテクノロジーへの支援を行っている。

アメリカのこの「寄付文化」の面白い点は、そのような「財団」の活動の運用が極めて柔軟に行えることだ。

日本では財団の運営について、資金の使途が国によって決められており、東京フィルハーモニー交響楽団の資金は「クラシック音楽」以外には使えない。同じ音楽事業でもロックミュージックは支援できないし、それこそ映画を作ってみたりする挑戦は不可能。文科省が決めた範囲を離れることができないのだ。

対してアメリカの財団は、「アセット(資産)の5%を毎年、公益のために使いなさい」といったルールさえ守れば、あとは財団の主宰者たちが投資先をかなり自由に選べる仕組みになっている。それだけアントレプレナーシップの力が信じられている、ということだろう。

ここで重要なのは、その仕組みが一つの「エコシステム」としてR&Dの世界で機能していることだ。

政府というのは日本に限らず、「この技術を育てよう」「この分野を支援しよう」と決める議論にはこだわるが、お金を出した後のフォローは放置しがちな傾向にある。

その点、アメリカのアントレプレナー（実業家）たちは、援助した資金の「その先」を厳しく見つめている。たとえドネーション（寄付）であっても、そのお金がどのように使われ、どのような結果を生んでいるかに極めて意識的なのだ。「財団」を通して、アントレプレナーシップの視点が研究開発の現場へと入っていく。

アメリカでのその仕組みを成り立たせている背景の一つは、起業家や企業が財団に入れる資金に対する大きな税控除だ。だからこそ、成功を収めて莫大なお金を稼いだビル・ゲイツのような起業家は財団を設立し、そこに多額の資金を投入しようとする。そうして、民間の彼らが自身のアントレプレナーシップを発揮しながら、様々な分野の発展を支えるというエコシステムが成り立っているのだ。

寄付で補助金が減る

僕は日本においても、この「フィランソロピーエコシステム」の機能をもっと活用すべきだと思う。

ところが、この国では未だにアントレプレナーシップを軽視し、「成長分野を決めるのは国」「そういうことはお上がやるんだ」という意識が根強い。結果として成功した起業家や潤沢な資金のある大企業が、生きたお金を社会や経済の発展のために使う道が閉ざされている。

例えば、大学への寄付についてもそうだ。日本では個人や企業が東京大学や京都大学のある研究を支援しようとしても、10億円の寄付をすれば、その大学への補助金が逆に10億円減ってしまう。これでは応援したくなる研究があっても、大学に対して個人が寄付をしようという気にはならない。このままの仕組みだと大学に必要な研究資金が集まりにくい。

「寄付」や「財団」は本来、上手く機能させればその国の技術力の基盤や発展を培っていけるはずだ。「フィランソロピー」の機能をしっかりと理解し、イノベーションを生み出す良い循環をどう作っていくか、その視点を僕らはもっと強く持つべきではないだろうか。

3

ロシアの暴虐、中国の異変

11 ウクライナ危機で私たちが考えるべきこと

ロシアが2022年2月24日、ウクライナへの軍事侵攻に踏み切った。一般市民にも被害が及び、本当に心が痛む。

2019年初夏、ウクライナを訪れ、ゼレンスキー大統領と面会したことがある。キーウの街並みの美しさにとても感動したこと、大統領のデジタル分野に関する知識の深さにも大変感銘を受けたことを覚えている。

ウクライナは「東欧のシリコンバレー」と呼ばれることもあり、実はインターネット業界では注目をされていた国だ。楽天グループでも、無料通話＆メッセージアプリのＶｉｂｅｒ（バイバー）が2010年から、ウクライナでサービスを提供してきた。現在では、黒海に面した湾岸都市であるオデーサに事業所を構え、様々なサービスを展開している。

日本からの駐在員はいないけれど、現地にはローカルスタッフ約130名の楽天グループの仲間がいる。現在の状況を受け、ローカルスタッフの安全確保を最優先とし、状況確認などを鋭意進めているところだ。美しく平和で、民主的で、デジタル分野の目覚ましい発展が期待されていたウクライナがこのような事態に襲われているのは、非常に痛ましい。

これは、言ってみれば、民主主義への挑戦でもある。

日本への最も大きな影響

正直、僕にできることは、とても限られている。でも、いてもたってもいられず、まずは、僕のツイッターアカウントで、プロフィール画像や背景画像をウクライナ国旗に変更した。これに賛同してもらえる方々にも、プロフィール画像などをウクライナ国旗に変えてもらい、ウクライナの人々と民主主義を応援しているというメッセージを送ることをお願いした。表現の自由は、民主主義を支える最も重要な要素だ。一人ひとりの声は小さくても、発信し続け、それが紡がれ、拡がっていくことで、多くの人がこの問題に向き合うきっかけになれば、と願っている。

家族とも相談をして、個人として、10億円をウクライナ政府に寄付することも決めた。楽天グループでも、ポイントやカード決済での募金を開始している。少しでもウクライナの人々の助けになればと思う。

ロシアによるウクライナへの侵攻は、世界経済そして日本経済へも大きな影響を与えることになる。僕が、日本にとって、最も大きな影響だと思うのが、エネルギー問題だ。「B

P世界エネルギー統計レビュー2021」によると、ロシアは天然ガスの生産量で、アメリカ（23・7％）に次いで世界第2位（16・6％）。天然ガスはLNG（液化天然ガス）や、輸送コストの安いパイプラインを通じて各国に輸出されている。中でも、ヨーロッパは天然ガスの30％以上をロシアからの輸入に頼っている構図だ。

ところが、対立が激化し、ロシアが西側諸国に天然ガスを輸出しないということになると、当然、天然ガスの価格は上昇する。すると、どういうことが起きるか。

日本では、ウクライナ危機に応じた形で、原子力発電を再開し、電気料金が上がらないようにしようという議論が出てくるだろう。けれど、使用済み核燃料の問題や安全リスクの問題をはじめ、原発には様々なコストがかかる。実際、ロシアはウクライナの原発を攻撃する事態に発展した。

ここでこそ、原発ではなく、クリーンで安全な代替エネルギーを議論していくべきタイミングではないだろうか。実は、代替エネルギーを活用する戦略を考える時、日本はとても興味深い条件を持つ国と言える。

国土に山地と河川が多く、周囲は海に囲まれ、火山もあちこちにある。広大な砂漠や平野がどこまでも続く国とは異なり、その複雑な地形や気象条件を活かしながら、様々な発電手法を組み合わせてエネルギーのポートフォリオを作っていけるのだ。

それは、石油や石炭に代わるエネルギー技術を培っていく上で、挑戦的な〝実験場〟にもなり得ることを意味する。脱炭素社会の実現という世界の最先端のテーマにおいて、一つのモデルケースを示せる可能性を持っているのが日本なのだ。

大手電力会社の改革を

しかし、そうした「未来」を実現させるには、大きな課題がある。電力インフラを実質的に独占している大手電力会社グループの改革だ。

エネルギーのイノベーションを起こすには、フェアなマーケットが存在し、多くの民間企業が自由に競争できるのが前提条件となる。けれど、一部の大手電力会社による地域独占の歴史と今なお残る発販一体の状況は、それを阻んでしまっている。

例えば、２０２０年末から翌年にかけては、新電力にとって大きな試練となる時期だった。寒さとＬＮＧの不足などを背景に、ＪＥＰＸ（日本卸電力取引所）の取引価格が普段の約20倍にまで暴騰したからだ。

僕が問題を感じたのは、こうした異常な価格上昇の際、大手電力会社だけが潤うという構造だった。

電力供給が逼迫した際、新電力は足りない分の電気をＪＥＰＸから仕入れる。その取引所に電気を提供しているのは、大手電力会社だ。そのため、彼らは電力供給の逼迫《ひっぱく》による価格高騰分を新電力に転嫁できる。

もちろん、需要と供給に差が生じた時、電気の値段が上下するのは市場の原理だ。しかし、日本ではその価格を、実質的に既存の電力会社がコントロールできる仕組みになっている。需給ギャップが生じた際に新電力だけがリスクを取り、国から保護的な政策を受けてきた大手電力会社は儲かるというこのメカニズムに歪みがあるのではないだろうか。

現在の仕組みでは新規参入企業は萎縮してしまうし、結果として競争が阻害されてイノベーションも生まれない。電力の自由化の「メリット」を一般の人々が受けられなくなる。日本は代替エネルギーを活用する条件に恵まれた国だ。最初から無理と諦めず、イノベーションが起きやすくなる方法を考え、「未来」を皆でつくっていかなければならない。

民主主義への挑戦、エネルギー問題……今回の軍事侵攻は、世界中に甚大な影響を与えている。ウクライナの人々が再び平和を取り戻せることを切に願っている。

12　プーチン、なぜこんな戦争を始めたのか

２０２２年2月24日にロシアによるウクライナへの侵攻が始まって以降、ずっと気分の沈む日々が続いている。

楽天グループにはウクライナにも社員が約１３０人いる。日本政府も限られた条件の中で、彼らを難民として受け入れる決定を下してくれた。楽天グループの社員の家族が日本に来ることができるように、人事部の確保した宿泊施設に滞在してもらう準備をしている。

ただ、女性や子どもは国外に退避している人もいるけれど、ウクライナ政府の方針もあって男性は基本的に国内に留まる他ないようだ。会社からも社員の安否確認は常に行っているが、彼らや、ウクライナにいる僕の友人からは「いま、地下壕にいて怖くて仕方がない」といったメッセージが次々と届いている。なかには義勇軍に参加している人もいるらしい。そうしたメッセージを見ると、とにかく胸が痛んでくる。

そして「怖い」という彼らの叫びに触れると、どんな言葉をかけていいのか分からない。まだまだ平和な日本から「Ｓｔａｙ ｓｔｒｏｎｇ」と励ますのも違うし、「早く戦争が終わることを願っている」としか言いようがないのだ。

日常生活を奪われたのは、ウクライナの人々だけではない。ロシアにいる友人からも、悲壮感のあるメッセージが届く。

「これでどこに行っても私たちは世界の嫌われ者になってしまった」

若者の中にはロシアから出国したい人も多いようだけれど、彼らは他の国から拒まれていて、ほとんどは国外には脱出できないようだ。

そんなやり取りに接していると怒りが湧いてくる。プーチンは何という戦争を始めてしまったのだろうか、と心の底から思うからだ。

10億円寄付を行った理由

実は、今回のような事態が起こり得るとは、これまで想像もしてこなかった。ロシアはプーチンという独裁者がいても、旧ソ連時代とは異なり、基本的には資本主義の論理で動いている国だと捉えていたからだ。

テレビや新聞の報道によれば、ロシアが開戦に至った理由として「NATOの前線が国境付近まで来ることへの抵抗感から」などと、もっともらしく語られている。けれど、旧ソ連時代ならともかく、今は21世紀。一体、人命を犠牲にして何を争っているのか、というのが正直な気持ちだ。

　そんな中で、僕はウクライナへの10億円の寄付を家族と相談して決め、楽天グループとしても「ウクライナ人道危機緊急支援募金」を立ち上げた。人道支援に活用されるもので、2022年6月時点で延べ約80万人から12億円以上の寄付が集まっている。

　僕がこうしたウクライナへの支援活動を始めたのは、世界でビジネスを展開するIT企業の経営者として、しっかりとこの戦争に対するメッセージを発しておきたいという思いもあったからだ。

　楽天グループが手掛けているインターネットビジネスというのは、大前提として民主主義社会の土台の上で行われているものだ。「民にできることは民に」と常に主張しているのと同様に、僕は世の中を作るのは政治ではなく実業であると信じている。

　今回の戦争でも、SWIFT（国際的な決済ネットワーク）からの排除などロシアへの経済制裁を決断するのは政治だが、結果的にその影響を受けるのは産業界であり、日常生活を送る市民だ。民主主義が脅威に晒される時、僕らは代償を必ず支払うことになる。日本とて例外ではない。ロシアとの間では北方領土の問題を抱えているし、中国との関係においても同じような事態を考えておかなければならないだろう。

　だからこそ、民主主義や自由への脅威に対しては、僕は経営者としての立ち位置をはっきりさせ、時には戦う必要もあると考えている。その意味で自分にできることとは何かと考えた時、それは「民」の側にいる一人として、強いメッセージを発するということだったのだ。

イーロン・マスクの危機感

日本でもアメリカでもヨーロッパでも、政治を動かしていくのは、国民の声に他ならない。そしてインターネットやソーシャルメディアが発展したことで、今の民主主義社会ではその傾向が一層強くなっている。なぜなら、インターネットの世界というのは、本質的にオープンで自由で民主的なコミュニティであるからだ。

インターネットを生業とするアントレプレナーは、多くの人が同じ世界観を持っているのだろう。

例えば、イーロン・マスクはウクライナでの戦争が始まった時、すぐにスペースXが開発を進める「スターリンク」(衛星を利用したインターネットアクセスサービス)を開放していた。思い切った判断だったと思う。彼のモチベーションの根底にあるのは、民主主義を支えるインターネットが遮断されることへの純粋な危機感だったはずだ。

僕は以前から「フィランソロピー経済」、すなわち、企業による社会貢献活動の重要性を主張してきた。その意味で、今回のウクライナでの戦争に直面した時には、寄付や募金活動を重ねて少しでもインパクトのあるお金の使い方をしようと思ったし、これからも支援を続けていきたいと考えている。それが、経済活動で利益を上げる企業にできることだからだ。

それにしても、ロシアが始めた戦争はどのような終わり方を迎えるのだろうか。もちろん、今回の戦争については様々な見方があり、軍事的な分析などは一人の経営者に過ぎない僕にはできない。今後、その結末次第ではロシアで民主化が一気に進むのかもしれないし、あるいは、さらなる圧政と情報統制が起こるのかもしれない。

僕は言うまでもなく前者を望んでいるが、これから先の国際社会の「未来」にとって、決してやり過ごすことのできない事態がしばらく続いていくのは確かだ。

13　ゼレンスキー大統領との握手

２０２２年の2月28日から4日間にわたって、スペインのバルセロナで開催されたのが、「モバイル・ワールド・コングレス（ＭＷＣ）」という世界最大のモバイル展示会だ。２０００社近い企業が参加し、僕も現地を訪れ、楽天モバイルは「完全仮想化クラウドネイティブモバイルネットワーク」の世界展開に関するプレゼンテーションなどを行った。

会場には約２００カ国から6万人の参加者が集まったという。新型コロナの流行でＭＷＣもこの2年間は規模を縮小してリモートが活用されていたから、3年ぶりの本格的な開催ということになる。コロナ前のＭＷＣには10万人規模の参加者が集まっていたので、まだ以前と同じ水準になったわけではないけれど、その光景はすでに世界はアフター・コロナに突入していることを実感させるものだった。

ただ、会場で各国の経営者と話していると、やはり雰囲気にはどこか暗いものがあった。ＭＷＣ初日の4日ほど前にはロシアによるウクライナ侵攻が始まり、世界の先行きに暗雲が垂れ込めていたからだ。その頃は現在のように市街地への攻撃はまだ酷くなかったとはいえ、「どうなるんだろうね……」と誰もが言葉少なだった。

とりわけヨーロッパの経営者にとっては、今回のウクライナでの戦争は、まさに「すぐ隣」での有事に他ならない。彼らの厳しい表情からは何とも言えない切迫感が滲み出ていた。

現地の人気シンガーが

僕はウクライナという国には2019年の初夏、一度だけ仕事で訪れたことがある。

楽天グループは2014年に、インターネット電話やグループチャットを手掛ける「Viber」を9億ドル（約900億円）で買収し、子会社化していた。キプロスに本社を置いていた（現在はルクセンブルク）Viberは、すでに東欧やアジア、中東などを中心に世界で3億人近いユーザーが登録している勢いのある会社だった。

現在ユーザーは約13億人。東欧のほか、ロシアや西アジアでも一般的なメッセンジャー、ビデオ通話のサービスとなっている。Rakutenというロゴはヨーロッパでの認知率が80パーセントを超えるけれど、生活インフラとして多くの人にViberが使われていることも、その要因の一つだろう。

ウクライナを訪れたのは、そのViberに関するイベントに参加するためだった。予定の中には金融機関や現地のビジネスパートナーとのミーティング、そして、2019年に就任したゼレンスキー大統領との面会が組み込まれていた。

「僕もＶｉｂｅｒを使っているよ！」

握手をしてそうにこやかに言っていたゼレンスキー大統領は、もともとコメディ俳優だったということもあるのだろう。言葉がキャッチーで、人を惹きつける魅力がある気持ちのいい人物だった。

弾丸での出張だったため、ウクライナでの滞在は2日間程度。マドンナのような物凄い人気のティナ・カロルというシンガーがいて、僕も友達になったのだけれど、彼女が参加して歌ってくれたＶｉｂｅｒのパーティに行く以外は、ほとんど観光をするような時間はなかった。

それでも市内を歩いていると、キーウというのは本当に美しい街だったことを今も覚えている。装飾にこだわった教会や石畳の道には歴史があり、どこを歩いていても文化的な香りを感じさせるものがあったからだ。

ウクライナやベラルーシといった国々は「東欧のシリコンバレー」とも呼ばれてきた。特に有名なのはバルト三国の一つ、エストニアだ。エストニアではあらゆる行政手続きが電子化されており、まさに「電子政府」の最先端を歩んでいることで知られる。これらの国々には優秀なＩＴの技術者も多く、日本も見習うべき点が少なくない。

東欧に関心を持った理由

ただ、2014年時点で僕が東欧にも関心を持ち始めたのは、必ずしも東欧に高い技術があるから、というのが理由ではなかった。

戦後の世界経済はまずアメリカがあり、イギリスやフランス、ドイツなどの西ヨーロッパや日本、その次に中国、さらにインドネシアやフィリピンなど東南アジアという形で成長してきた歴史がある。ラテンアメリカでもかなりの成長が始まっており、「では、次にインターネットの産業が爆発的に大きくなるのはどこか」と考えた時、その「未来」が東欧にもあると思ったのだ。

なぜなら、インターネットという技術には「古い仕組み」や「古い制度」が残っている場所で、一気に広まって新たな経済圏を作り出していくという特質があるからだ。

ＥＵに加盟しているポーランドやスロバキアといった国々はもちろん、ＥＵに加盟しておらず、経済的な発展が遅れていたウクライナにも僕は大きな魅力を感じていた。広大な土地に、４４００万人もの人口。ここにインターネットを根付かせることができれば、先進国との格差は縮まり、多くの市民の生活が豊かになっていくに違いない。そんなふうに確信していた。

そうした潜在能力を持った東欧などの新しい地域で事業を展開していくには、新たなプラットフォームが欠かせない。子会社化したＶｉｂｅｒは、東欧を含むヨーロッパにおける僕らの基盤となってきた。

ウクライナのゼレンスキー大統領も、ＩＴ関連のスタートアップ企業を積極的に支援し、それを国の成長戦略としてきた。政治と民間、立場は違っても同じ方向を向いていたはずだった。

けれど——。

今回、ロシアが踏み切った戦争はそうした試みを破壊するものでもあった。プーチンの暴挙によって、ウクライナの持っていた「未来」への可能性が奪われようとしている。今は一日でも早くこの戦争が終わることを願うしかない。

14　インターネットは戦争を抑止できるか

まるで「二つの戦争」を同時に見ている――ウクライナでの戦争に関する情報に接していると、そんな気分になる。

一つは、それこそ僕らが学校教育で習ったり、歴史として学んだりした第二次世界大戦のような戦争。近代的な市街地をミサイルや戦車で破壊していくような戦争が起こるとは考えていなかった。

巷間で言われているように、ロシアは数日という短期間で決着を付けたかったと思われる。ところが、ウクライナの激しい抵抗によって、戦争は長引き、兵站《へいたん》や士気にも陰りが見えてきている。もちろん、欧米諸国が一枚岩になってロシアへの非難を強め、それがプーチンの焦りにも繋がっているのだろう。

ただ、それだけではない。ウクライナが抵抗を続けるための武器になっているのが、インターネットやソーシャルメディアによる情報発信だ。

ゼレンスキー大統領はビデオカンファレンスを用いて、各国の議会で演説をしてきた。2022年3月23日には日本の国会で戦時下にある自国の窮状をオンライン演説で僕らに向かって訴えたのも、強く印象に残っている。かつての戦争であれば、このように、当事国のトップがリアルタイムで国際社会の人々に直接、メッセージを送ることは難しかったに違いない。

アメリカ議会でロシアの奇襲攻撃を「パールハーバー」に喩えたことなど、発言について議論もあるだろう。ただ、まず前提として想像するべきなのは、ウクライナでは目の前の建物にミサイルが撃ち込まれ、多くの民間人が犠牲になっているという現実だ。僕個人の感想としては、モニターに映る彼の姿と言葉には、現状に対する切実さを強く感じずにはいられなかった。

軍事用の通信網がルーツ

ロシア側から見れば、ウクライナの情報戦を広げないように、通信・情報網を遮断したかったに違いない。しかし、そもそもインターネットは軍事用に開発された通信網ARPANETをルーツに持つ。動画や音声など全てのデータをTCP／IPという同一の規格で送っている。どこかがガチャンと切られても、別のルートを通じて繋がっていけることが強みだ。ロシアがウクライナ国内の情報を、自らに有利なようにコントロールすることは不可能に近い。

ロシア国内にとっても、同じことが言える。かつての歴史では戦争が起こると、国家は自国のジャーナリズムや情報産業に対して抑圧的にふるまうのが常だった。国内の意見をなるべく分断し、恐怖心を植え付け、反対意見をまとめさせないようにする。太平洋戦争の時の日本政府がまさにそうだった。

けれど、インターネットがここまで発達した現代では、中国のようにグレート・ファイアーウォールの構築でもしない限り、いや、仮に構築したとしても、広い国土の全体にその影響を及ぼすことは不可能だろう。

実は楽天グループの子会社Ｒａｋｕｔｅｎ Ｖｉｂｅｒの無料通話やメッセージアプリの通信サービスについても、ロシアでのサービスを停止すべきかという議論があった。しかし、Ｖｉｂｅｒはウクライナだけではなく、ロシアにおいても市民同士が繫がるための重要な生活インフラとなっている。彼らに「本当の情報」が入らなくなることのリスクのほうが大きい。その観点から、サービスの停止は行わないことにした経緯がある。ロシアの国民に真実を伝える。こうした技術は平和を生み出すためのツールになりうる。

僕は今後、ロシア国内での反プーチンの声がネットを中心に加速していくことで、長期的には民主化が進んでいく「未来」があるのではないかと感じている。僕は、インターネットには、自由でオープンな力があると信じているからだ。

ロシアによる時代錯誤なウクライナへの侵攻は、これまで世界が築いてきた秩序を様々な意味で破壊してしまったのは疑いようのない事実だ。「原発」はその最たるものだろう。ゼレンスキー大統領も日本の国会演説で強調していたように、プーチンがチョルノービリ（チェルノブイリ）原発への武力による占拠に踏み切ったことは、狂気じみていると言わざるを得ない。

そうした中、日本では原発再稼働に向けた議論が進められている。しかし、「原発へのミサイル攻撃」という恐ろしい現実を前にこのまま再稼働に突き進むことができるのか。

そもそも原発が停止中であっても、大量の核燃料がそこには存在している。甚大なリスクを抱えている施設にもかかわらず、民間の警備会社が周囲を警戒しているというレベルだ。それで、本当に住民の安全を保障できるのか。

原発の例からも分かる通り、ウクライナでの戦争は、僕らが当たり前だと感じていた前提や秩序の見直しを迫るものでもある。

台湾問題への影響は

今回の戦争による深い分断が、国際社会の勢力図にどのような変化を及ぼしていくのか。

例えば台湾問題を抱える中国は、とりわけ強く注視しているに違いない。仮に台湾に軍事力を使ったとしたら、今回と同じようにその様子がインターネットで全世界に中継されるだろう。国際社会は中国に厳しい態度で臨んでくるはずだ。

今回、ロシアの力による領土支配が認められてしまえば、中国が台湾に侵攻するシナリオも現実味を帯びてくるかもしれない。一方で、ウクライナが勝てば、インターネットの世界観が今後の戦争を抑止する力にもなりうるかもしれない。

それぞれの国やそこに生きる人々、情報や資源、モノが互いに分かち難く行き来し、成り立ってきたグローバル社会。その恩恵を享受してきた一員として、このかつてない危機を、知恵をしぼり乗り越えなくてはならないと思っている。

未来の子ども達のために、何が残せるのか。今後も僕にできることをやり続けていきたい。

15　北京五輪は心から楽しめない

２０２２年2月、北京での冬季オリンピック。

一党独裁体制の中国では、新型コロナの流行を時に凄まじいほどの行動制限で押さえつけようとしてきた。けれど、そうした強制的な「ゼロコロナ対策」を以てしても、感染者数が増え始めているのが実情だ。オリンピックの舞台となるはずの北京でも、相次いでオミクロン株の感染者が確認されたと報じられている。

自国の科学技術力をアピールしようと、中国製のシノバックワクチンの投与にこだわったことも影響しているのだろう。シノバックワクチンはファイザーやモデルナのワクチンに比べ、効果が劣っているとも言われており、幾らゼロコロナ対策を取っても、ウイルスが拡散する隙を与えている。

中国政府はおそらく、強権的なやり方で感染を抑え込んででも、北京オリンピックを大々的に有観客で開催したかったに違いない。無観客だった２０２１年の東京オリンピックを念頭に、観衆が会場に詰め掛けている光景を世界中に見せつけ、「中国がコロナに打ち勝った証」と声高に主張したかったはずだ。

そうした国威発揚のためのオリンピックという点では、１９３６年のベルリン大会を彷彿とさせる。ヒトラーは自身の権力を世界中に見せつけるために、大々的なプロパガンダの場として大会を位置付けた。同じような狙いが習近平国家主席にもあったのだろう。しかし、重症化率は格段に低いとはいえ、オミクロン株の流行で、そうした国威発揚の目論見は完全に崩れ去ったと言える。

一党独裁の〝強味〟

そもそも新型コロナの流行がなかったとしても、北京でのオリンピック開催には問題があまりに多かった。特にウイグル自治区での少数民族への人権侵害は深刻だ。また、真相はよく分からないものの、中国の女性テニス選手が一時的に安否不明となった出来事にも、眉を顰《ひそ》めたくなる不透明さが残っている。バッハ会長と習近平の親密ぶりからしても、IOCと中国の関係には裏があるように感じられ、「スポーツの祭典」を心から楽しもうという気持ちにはどうしてもなれなかった。

一方で、その中国という共産主義の大国が今後も経済的な発展を続けていくのか否かは、隣国である日本にとっては切っても切り離せない問題だ。

例えば、デジタライゼーションのスピードについて考えてみよう。

中国では今、クリプトカレンシー（暗号資産）や電子決済などが一気に進められている。

徹底的な監視社会で、圧倒的な量のビッグデータを入手できるからだ。犯罪捜査などでも、ビッグデータを基にした顔認証システムが活用されている。「人権」より「治安」というわけだ。他方で、デジタライゼーションという「未来」へのコンセンサスがあるため、AI活動などへの投資を企業が積極的に行える環境も意外に整っている。

これが日本だと、様々な規制でがんじがらめになっている。企業も「四半期で経常利益が上がったか」「この赤字はいつ黒字化されるのか」という短期的な視点ばかりが重視され、AIの活用など新しい分野への思い切った投資がやりにくい。

こうしてみると、確かに一党独裁という体制の〝強味〟と言える面もあるだろう。しかし、だからといって、中国がAIやデジタルの分野で世界の覇権を握っていくようになるかと言えば、疑問符が付くと思う。なぜなら、世の中を大きく変えるような「イノベーション」は、結局のところ、自由なマーケットにおける競争からしか生まれないからだ。しかも、中国のインターネットには強大なファイアウォール、つまり、情報検閲システムがある。オープンで自由であるはずのインターネットの思想と相反する仕組みが存在するのだ。

そんな環境からは、ウォークマンやiPhone、テスラの電気自動車のような商品は決して出てこない。僕はそう確信している。

中国の成長が止まった時

それでも、習近平は自らの基盤を絶対的なものにするように、一党独裁体制をますます強固にしているように見える。では、その体制が瓦解していくことはあるのだろうか。

振り返れば、戦後の日本がそうだったように、国全体に「先進国に追いつけ、追い越せ」という元気がある時は、国民もある程度の不自由を受け入れられるものだ。国威発揚による成長感を実感できるうちは、自由を求める声も封じ込められやすいだろう。自分の生活さえ豊かになっていれば、人は多少の不満は呑み込めるもの。もちろん、日本とは異なり、中国の場合、都市部と農村部では計り知れないほど格差が拡大していたわけだけれど、「成長」で全てを覆いつくすことができていた。

問題はその成長がスローダウンした時だ。国全体での成長のエネルギーが弱まると、「どうして自分たちの行動が制限されなければならないのか」「どうして自分たちが監視されなければならないのか」という声は更に大きくなっていく。

社会のデジタル化であれ、様々なサービスのイノベーションであれ、最終的に大きなムーブメントを起こすのはマスの人々、大衆だ。中国でマスの民意を集めるソーシャルメディアが厳しくコントロールされているのは、そのことを政府がよく分かっているからに違いない。

今の中国を見る限り、そうした声が強まっていけばいくほど、強権的な手法で抑え込むことを繰り返すだろう。しかし、成長が止まってしまった時点で〝逆回転〟が起こるはずだし、そうあって欲しい。やがてインターネットのファイアウォールもオープンになり、真の民主主義へ移行すると信じたい。

理想論だけれど、社会というものは本来、何物にも強制されない自由や、民意をベースにしたフィランソロピー（社会貢献活動）によって発展していくべきものだからだ。

16　バイドゥとの合弁事業は難しかった

僕が最後に中国に行ったのは、２０１７年12月のことである。この時に訪中した目的はビジネスではなく、理事長を務めている東京フィルハーモニーの公演が上海で催されたからだった。日中国交正常化の45周年を記念したコンサートで、上海交響楽団音楽庁でチャイコフスキーの「交響曲第５番」などを聴いたのをよく覚えている。

楽天グループと中国の関係と言えば、２０２１年３月、ＩＴ企業・テンセント（騰訊）からの出資を受けたことに対し、経済安全保障上の問題があるのではないか、と指摘を受けたこともあった。しかし、これは誤解も甚だしい。あくまでテンセントの投資子会社からの資金であり、彼らはテスラなどアメリカの企業にも同じように投資している。楽天の経営への影響が生じるようなことにはなり得ない。キャピタルゲインを狙った純投資だ。楽天の株価は割安だからチャンスだと判断したのだろう。

そもそも僕は、一党独裁という中国の国家体制に違和感があるし、ビジネス面でも基本的に距離を置いている。最後に中国での事業を考えたのも、今から10年前のことだ。

当時、僕らは楽天市場での経験を活かし、中国国内で、アリババ（阿里巴巴）に対抗できるマーケットプレイスを作ろうと考えていた。パートナーに選んだのは、検索エンジンとして成長著しかったバイドゥ（百度）で、彼らとのジョイントベンチャーを設立したのだ。

起業家の視点から見ると、中国というマーケットには二つの魅力があった。

一つ目は言うまでもなく、14億人もの人口だ。情報のフラット化というインターネットの革新性が、これほどまでダイナミックな形で広がっている場所は他になかった。

アリババは砂漠で水を

そして、重要なのは二つ目——中国には日本のような「レガシー」がないことだ。インターネットのような新しいテクノロジーは、社会の構造を根底から覆す大きな力を持っている。金融や流通、メディア、医療……ありとあらゆる分野で、これまで当たり前だったシステムが産業革命のごとく新しくなり、その中で多くのイノベーションが生まれ、ビジネスが育っていく。

ところが、日本では旧来のシステムがこれまた、ありとあらゆる分野で強固に存在している。古い仕組みがそこかしこにあり、イノベーションを阻んでいるのだ。そうした旧来のシステムを刷新するには、どうしても大きなスイッチングコストがかかってしまう。結果、それを避けようとして、既得権益が温存される——これが、世界の中で日本の成長だけが止まっている背景の一つだ。

対して、中国の市場にはそうした「レガシー」がなかった。

例えば、サプライチェーン。製造から物流、小売りの仕組みが隅々まで発展している日本では、地方の田舎暮らしであっても色んなモノが買える。地方の少年がナイキのシューズを買おうと思ったら、駅前の百貨店や町の専門店に行けばいい。

だけど、中国は違う。何億人という人が暮らす地方には、そうした店がそもそも進出していなかった。ナイキのシューズが欲しくても物理的に買えなかったわけだ。そこに現れたのが、アリババやJDドットコム（京東商城《ジンドン》）といった新興のインターネット企業である。インターネットの仕組みを活用し、地方の人にナイキのシューズを売ることは、彼らにとっては砂漠で水を売るようなものだっただろう。中国政府にとっても、都市と地方の格差解消は喫緊の課題だったから、この頃はまだ彼らのビジネスを大いに後押ししていた（後に、アリババのジャック・マーは政府に目を付けられるわけだが）。

あるいは、最近、「中国の鉄のほうが日本の鉄より値段も安くてクオリティもいい」という話を聞くこともある。それも理由は似たようなもの。日本では、何十年も前に巨額の設備投資をした高炉をメンテナンスしながら使わなければならない。かたや、そうした「レガシー」のない中国では、次から次へと最新鋭の高炉を建設することができるのだ。

ソースコードの開示まで

こうして挙げると、中国市場は何かと〝面白そうな条件〟に恵まれているように見える。でも、10年前に中国で実際にビジネスをしてみて僕が感じたのは、「やはり日本人では無理だな」ということだった。

僕らは当初、バイドゥとは、お互いに助け合いながら、ビジョンに向かって一枚岩になって成長をしていきたいという思いを持っていた。けれど、残念ながら、それは難しかった。例えば、バイドゥのトラフィック（ネットワークを流れる情報）を活用しようとしても、後ろ向きの対応を示されてしまう。情報管理に神経を尖らせる政府を気にしていたのだろう。そうしたことが積み重なっていくうちに、次第にギクシャクした関係になってしまった。

中国では今でも、政府機関による審査や認証の仕組みの中で、ソースコード（コンピュータが処理すべき命令を記述したプログラム）の開示を求められる可能性がある。けれど、僕らのようなＩＴ企業にとって、ソースコードは「秘中の秘」。その開示を求められるとあっては、とても中国でビジネスを推し進めようという気にはなれない。

もちろん、日本企業が単独では事業を展開することはできない。必ず合弁会社を作る必要がある。色々と足かせが多いのが実情なのだ。

それでも、いずれ変化が起きるはずだ。

どこかで中国の成長が鈍化すれば、「アラブの春」がそうだったように、表現の自由を求める人々の声が力を持ち始めるだろう。いくら政府が国民の発信するデータをモニタリングしても、情報のフラット化というインターネットの本質は決して歪められない。次第に国外に対する中国政府のファイアウォールも崩れていく。その時初めて、中国という国にオープンで自由な市場が生まれるのかもしれない。

17 中国は怖い、でも、日本も……

中国でビジネスをしている知人が以前であれば、少し冗談めかして口にしていた言葉がある。

「あの国では『金』『地位』『名誉』の三つのうち、どれか二つを選ばなければならない」

でも、最近、この言葉をめったに聞かなくなった。

中国はこれまで、反資本主義的な思想の中に科学技術を上手く取り入れ、AIやICT、暗号資産、さらには宇宙開発といった分野への投資を後押ししてきた。宇宙開発などはそう簡単にリターンは望めないような事業だけれど、目の前の損得にはあまりこだわらず、「未来」に向けてのビジョンやテクノロジーに投資する。そうした積極的で長期的な姿勢には、意外に思われるかもしれないけれど、時にシリコンバレー的な要素が感じられたのも事実だ。

加えて、中国の場合、14億人という人口が持つ圧倒的なエネルギーがある。その意味で、「日中の差ってこういうことなんだよな」と感じたのは、ハーバード・ビジネススクールである講座に携わった時のことだった。

2014年に開講したオンライン教育のプラットフォーム「ハーバードX」。日本人の受講生が100人ほどだったのに対し、中国人の受講生は約30万人にも及んだ。彼らの多くが「AIをベースに社会が変わっていく」といったビジョンを共有しているのだから、中国のエリート層の分厚さというものが分かるだろう。

そうした国家の強力な後押しもあって、この10年、20年で次々と生まれたのが、アリババ（阿里巴巴）やバイドゥ（百度）といった中国の巨大ベンチャー企業だった。

「金持ちは許さない」

ところが、ここ数年、中国のビジネスを巡る環境に大きな異変が起きている。

分岐点となったのは、香港問題だ。2014年に起きた民主化デモ「雨傘運動」以降、中国政府は香港への介入を深めていく。そして2020年6月に「香港国家安全維持法」が施行されると、いよいよ反政府的な動きに対する取り締まりが格段に強化されていった。

時を同じくして、ビジネスによって莫大な「金」を得たアントレプレナーたちへの締め付けも、明らかに厳しくなっている。

ある中国の知人も、「最近では『金と名誉と地位を一度に求めてはいけない』といった軽口を叩けるような雰囲気は消えてしまった」と声を潜めていた。特に中国のアプリ等を利用したネット上のやり取りは、どこで盗聴されているか分からないという怖さがあるのだろう。

中国で成功したアントレプレナーたちは今、誰しもが「自分は大丈夫か」「できれば逃げ出したい」などと身の危険をひしひしと感じているに違いない。実際に、中国で最も成功した経営者の一人、アリババの創業者、ジャック・マー（馬雲）はあまり表に出なくなってきているようだ。

ジャック・マーは1964年9月生まれ。1965年3月生まれの僕とは、日本で言えば、同級生だ。2007年に香港で上場して以降、凄まじい成長を遂げ、時価総額は一時、約8500億ドル（約95兆円）。日本で最も時価総額が大きいトヨタ自動車でも約40兆円だから、その倍以上になる。

しかし、2020年11月、アリババ傘下の金融会社アント・グループが上海と香港で上場する直前、報道によれば、彼は「忽然と」と言っていいような形で表舞台から姿を消したという。

史上最大規模になるはずだったアント・グループの上場が中止に追い込まれた事実は、現地でビジネスをする人々にとって衝撃的だっただろう。彼らはこれを、中国政府の「金持ちは断固として許さない」というメッセージとして、受け止めたはずだ。

そもそも、あらゆる情報をフラット化するインターネットというテクノロジーはオープンで自由な性質が強い。中国のIT起業家たちも根はやはりオープンで自由な人物が多く、だからこそ、共産党の価値観とはぶつかってしまう。中国政府としても、そうした思想を持つ経営者がこれ以上、国内で影響力を保持することを是が非でも避けたかったのだろう。

この件を受けて、海外のアントレプレナーたちから「ミッキーは日本で良かったね」と口々に言われたことをよく覚えている。

ただ——、「日本で良かった」と安穏としてばかりはいられない。

改めて思うのは、今のままでは日本は中国の猛烈な勢いに押され続けてしまうということだ。

日本も70億人を相手に

確かに、新しい「インベンション（発明）」を生み出す力や、「スマホ」や「自動車」などのR&D（研究開発）については、日本もまだまだ世界的な競争力を維持していると思う。「品質」に対するこだわりも素晴らしいものがあるだろう。

ただ、その「技術や品質へのこだわり」は、新しいチャレンジを躊躇させる原因にもなる。その弊害にも目を向けなければならない。様々なチャレンジがしやすくなる文化、つまり、失敗が許容される文化を社会全体で醸成していくことが求められる。

そしてこの国に決定的に欠けているのは、「インベンション」と「R&D」——その二つの間に生まれる「新しい技術を使った世界に通用するサービス」を生み出す力だ。

海外で成功したビジネスモデルの「日本版」をいくら作っても、そこに生み出される市場は、14億人の人口を誇る中国とは違って、たかだか1億2000万人という規模に過ぎない。そうではなく、これからの日本は、70億人という世界のマーケットを相手に先進的なサービスの発信地になるべきだ。

確かに、今の中国のような国の在り方は、僕には受け入れ難い。もっともっと自由にモノが言える国に変わって欲しいと切に願う。

けれど、日本もまた、もっともっと変わっていかなくてはならないのだ。

4

僕が見てきた
3人の総理大臣

18 総裁選を見て冷めた気持ちになった

２０２１年９月29日に投開票が行われた自民党総裁選。決選投票の結果、岸田文雄新総裁が誕生し、新首相に就くことが決まった。４人の候補者の戦いは派閥や衆院選など様々な思惑が絡まり合い、メディアでも連日その様子が伝えられていた。ただ僕はそうした報道を見ているうちに、日に日にどこか冷めた気持ちになっていった、というのが正直なところだ。

なぜかといえば――これは今回に限った話ではないけれど――そこで交わされていた議論が「日本の次のリーダー」を決めるに相応しいものだったとは、どうしても感じられなかったからだ。

何より４人の議論を聞きながら強く思ったのは、その内容がいかにも予定調和的、事なかれ主義的だということだった。原発政策や年金、社会保障、財政の課題……。一つ一つの問題は確かに大切だ。

でも、国の次のリーダーを決める際は、そうした個別の政策だけではなく、それぞれが「この国の未来のあり方」を示すグランドデザインを掲げ、大いに語り合うべきではなかっただろうか。国民の議論を呼び起こすような本質的なテーマを、もっと大胆に話し合ってほしかった。

例えば、エネルギー問題。資源のない日本という国で、電力コストが高いままではそのうちに立ち行かなくなるのは間違いない。では、次世代に向け、どのような電力のポートフォリオを組むべきなのか。さらには世界的な重要課題である地球温暖化を防ぐために、CO_2排出量をどこまで具体的に減らすのか。

首相公選制の導入も

だけど、脱原発をはじめエネルギー問題について以前はかなり突っ込んだ発言をしていた河野太郎さんでさえ、総裁選では自身の意見をある程度封印していた。一部の声の大きな人たちの反対を気にするあまり、それぞれが予定調和的な政策ばかりを掲げるようになり、次第に違いを出せなくなっていく——。

もう一つ例を挙げよう。「移民政策」について、彼らはどのような考えや方向性を持っていたのか。日本が人口減少と技術者の圧倒的な不足を乗り越えるには、移民に頼るという方向に進まざるを得ない、と僕は考えている。

もちろん、そうではないという意見もあるだろうし、このテーマに反発する人がいることも分かっている。でも、そうした反発を気にしていては何も始まらない。むしろ、だからこそ議論が必要なのだ。

その意味でも、次の総理候補だった4人が「日本の未来」を大きく変えることになる「移民」というテーマについて、大きな視点で異なる意見を戦わせる姿が見られなかったのは実に残念だった。

こうして振り返ってみると、総裁選に欠けていたのは、「揺らぎ」のようなものではないか、と僕は思う。「揺らぎ」とは、言い換えれば、議論の振れ幅の大きさのことだ。

例えば、アメリカでは共和党と民主党の二大政党が、大統領選で「小さな政府」と「大きな政府」など相反する概念を常にぶつけ合う。国民を巻き込んで「右に振れ過ぎたら左へ」「左へ振れ過ぎたら右へ」と揺らぐことで進化し、それを成長のエネルギーとしていく。オバマからトランプへ、トランプからバイデンへ——と大きな振れ幅を作り出しながら、力強く前へと進んでいくイメージだ。

一方で日本では誰が首相になっても、常に「安定」が求められる。誰がやっても「真ん中」が目指されるのは、国民がそのようなリーダーを求めているという面もあるだろう。だから結局、予定調和的な政策を掲げるようになる。

そもそも、自民党総裁選という仕組みそのものも限界が来ているのではないか。事実上「次の総理」を選ぶ選挙なのに、どうしても議員票や党員票を獲得していくことが求められる。国民ではなく、自民党の国会議員や地方議員たちのほうを向いて政策を訴えていかざるを得ない。その矛盾を乗り越えるためには、いずれ首相公選制の導入などの議論も必要だと改めて痛感した。

岸田さんに会った印象

いずれにしても、この数十年、アメリカや中国が成長を続ける傍らで、日本だけがゆっくりと衰退してきたことは、数字が証明している事実だ。ならば、求められるべきはやはり大胆な未来志向の変革のはずだろう。

今の時代に僕が理想とする「国のあり方」とは、大勢のアントレプレナーが生まれ、世界をリードするようなイノベーションが次々興り、世界中のお金と英知が日本に集まってくるという未来だ。日本の総理候補にはその実現のために、「経済をいかに伸ばすか」という本質的な議論を大胆に戦わせてほしかった。

一国の首相とは、企業におけるCEOだと思う。CEOの仕事とは戦略の立案であり、自らの考える方向性を旗幟《きし》鮮明に示す。その上で「実現の方法はまだ分からないが、だからこそ今から皆で考えるんだ」と訴えていくことが必要だ。

もちろん、経営と同じように、国の舵取りは総理が一人で担うものではない。今後重要なのは、周囲に優秀な人材を集め、「変えていくぞ」という雰囲気をしっかりと作っていけるかどうか。イギリスのチャーチルがよく「危機の指導者」と言われるが、周囲の改革派たちがチャーチルを担いだ面があったのも事実だ。

「新経済連盟」の代表理事として、総裁選の候補者の皆さんのもとに、私たちの考えを説明にうかがう機会があった。いつものようなTシャツ姿ではなく、スーツにネクタイを締めて岸田さんにも総裁選前にお目にかかったけれど、こちらの意見に静かに耳を傾ける姿が印象的だった。

今回の総裁選では目立たなかったものの、岸田さんは以前、移民政策についても勉強会をやっていた。国を海外に開いていくことには前向きという印象もある。すぐに100点の改革は難しくても、まずは未来志向で「65点」をしっかり狙いに行き、逆に抵抗する勢力には「残りの35点はお前らにくれてやる」という気概を見せてほしい。

19 期待するのは「民でできることは民に」

僕はＩＴ企業を中心に作る経済団体「新経済連盟」の代表理事を務めている。２０１２年に活動を開始した団体だが、新経連が主張している内容はとてもシンプルだ。

「民でできることは民に」

金融やＩＰ（知的財産）、エネルギー政策や人材、さらには移民政策とダイバーシティの重要性、教育改革まで――。僕らの提言のテーマは多岐にわたるが、全てが最終的にこのキーワードに集約されると言ってもいい。

なぜ「民でできることは民に」なのか。

２０２１年秋の総裁選でも、この言葉を掲げた一枚のＡ３ペーパーを持って、各候補を訪ねて回った。

「我々の考えている成長戦略をぜひ説明させて下さい」

皆さん、僕らの話にかなり真摯に耳を傾けてくれたと思っている。ただ、総裁選では「イノベーションをガンガン起こしていくんだ」ということを公約に掲げる候補はいなかった。こうした地道な活動が、いずれ実を結ぶといいのだが……、やはり政治家や官僚と話をしていて思うのは、あまりに「未来」を見ていない人が多いということだ。

例えば、自動車産業の「未来」を見据えた時、間違いなくガソリン車は消えていく運命にある。ビジネスの世界にいる僕からすれば、それは必然的な「時代の流れ」だ。むしろ、そうした「未来」を先導できる立場をいかにして築いていくか。という視点で考えなくてはいけない。

新経連でのロビー活動

ところが、政治家や官僚は違う。彼らが言うのは、「では、ガソリン車が生き残れるような策は何かないか」といったことばかり。「現状をどうすれば維持できるか」という発想から抜け出せずに、ああでもないこうでもないと時間を浪費する場面に、何度出くわしたことだろうか。

特に官僚はその傾向が顕著だ。エネルギー政策や物流、自動運転に向けた交通インフラのレギュレーション……どれも、僕には「いま変えなければ、いつ変えるのか。世界から大きな遅れを取ってしまう」と思える。それでも彼らは、ドラスティックな変化をとにかく嫌う。政策の「良い」「悪い」ではなく、これまで予算を費やしてきた物事の一貫性を何より重要視するからだろう。

ただ、そうはいっても、僕が新経連を作ってまで政治家へのロビー活動を続けてきたのは、その閉塞した状況を変えるには、政治の力が欠かせないからだ。だから、自民党や公明党の政治家、それから立憲民主党、国民民主党、維新の会、野党の政治家とも話をしてきた。与野党問わず、政治家たち――とりわけ新しい世代のリーダーに持って欲しいのは、何より「未来志向」で政策を考えるという視点だ。

確かに、日本の政治家は、ミクロな政策での「一点突破」は得意だと言える。菅政権も携帯電話料金の値下げやワクチンの職域接種では、かなり強い突破力を発揮した。その点については、素直に評価したい。喜んだ国民も少なくないだろう。

だけど、日本の政界では今もなお、「駅前でビール箱に乗って、毎日演説することが当選に繫がる」というような価値観が支配的だからだろうか。「この国をどうしたいのか」というグランドデザインを見せてくれる人があまりに少ない。逆に政治家に限って、ことあるごとに「日本型」や「日本流」という言葉を口にする。でも、そうした内向きの言葉で何かを誤魔化すようなやり方はもうやめるべきだ。

岸田文雄さんが２０２１年10月４日、臨時国会で正式に首班指名を受け、第１００代の総理大臣に就任した。

こういうタイミングで、よく聞かれたのが「次のリーダーに何を期待するか」という質問だ。けれど、そうした問いへの僕の答えはいつも決まっている。

「国のリーダーに対して、『何かをしてほしい』と期待しているようなことは何もない」

それが、僕の政治に対する基本的なスタンスだ。言い換えれば、「何もしないことを期待している」と言っていいかもしれない。

理由は明確だ。

世界はいま、凄まじい速さでパラダイムシフトしている。そうした時代にあって、イノベーションをリードするのは民間の力だ。

例えば、かつては国家的な事業だった「宇宙開発」の分野。これまではアメリカならNASA、日本ならJAXAという具合に「官」の側がリードしてきた。でも、今は違う。宇宙開発でさえ、スペースXやブルーオリジン、ヴァージンなど民間企業がリードする時代になっているのだ。

成長戦略会議の乱立

そうした中で、日本だけが、まるで昭和の高度経済成長期のような保護主義的な政策を続けていればどうなるか。短期的には国によって守られた「業界」も、中長期的には必ずや弱体化し、ひいては、国全体の国際競争力が次第に損なわれていくに違いない。

だからといって、経済財政諮問会議とか規制改革推進会議とか、成長戦略を考えるような会議を幾つも作ればいいというものではない。会議が乱立すればするほど、パワーは分散される。経産省あたりの〝やってる感〟だけが高まるだけで、結局、何も前には進まないのが現実だ。

僕ら実業家（アントレプレナー）が求めるのは、そうした「箱」じゃない。フェアでオペレーションコストの低いプラットフォームだ。それさえあれば、その中で適切な競争が繰り広げられ、技術だってどんどん発展していく、と信じている。

改めて言う。

民でできることは民に――。

それこそが、国家主導型の資本主義からの脱却という、僕が描く「グランドデザイン」だ。

民間の力を存分に生かし、イノベーションが成長をドライブする国を作っていくのか、それとも古い仕組みの中で徐々に衰退を続けるのか。

それが、政治に、岸田政権に問われている大きなテーマだ。

20 岸田首相、イノベーションの「現場」に足を

第二次安倍政権の発足からしばらくして、当時の安倍晋三首相をシリコンバレーに案内したことがあった。現地では、ライドシェア事業の起業家たちとの会談をセッティングしたりした。

僕は日本の政治家や官僚にも、積極的にイノベーションの最先端を走るアントレプレナーたちと交流を持って、その現場を少しでも体感してほしいと常日頃から思っている。国の舵取りを担う彼らには「次の選挙」や「次の予算」ではなく、「10年〜20年先」を常に見つめた上で戦略を立ててもらいたい。そうでなければ、この先の日本は本当に「沈没」してしまう、という危惧を真剣に抱いているからだ。

「未来」を見通した戦略を練っていくためには、やはり「現場」を知らなくてはならない。僕が新経済連盟での政策提言活動に力を入れているのも、それが大きな理由だ。すぐには目に見える成果に繋がらないかもしれないけれど、そうした活動を積み重ねていくうちに少しずつプラスの影響が出てくると信じている。

安倍さんにとってもイーロンと会ってテスラに乗り、いろんなアントレプレナーたちと対話をした体験は大きな刺激になったと思う。電気自動車や自動運転、ライドシェアがこ

れからの世の中をどのように変えていくか。彼らの話を直《じか》に聴くことによって、イノベーションの現場にあるリアルな雰囲気を感じてもらえたに違いない。

もちろん、このシリコンバレーの体験は一つの例に過ぎないと思う。でも、安倍さんは「民泊」の規制緩和に踏み切るなど、比較的、未来を見据えた戦略に前向きな面があったという印象を抱いている。

「新しい社会主義」に見える

では、2021年秋に誕生した岸田政権はどうだろうか。僕は「イノベーション」と「競争」によって経済をドライブしていくことが、日本復活への条件だと考えている。そのためには強いリーダーシップと本質的な議論を厭わない姿勢が欠かせない。

岸田文雄首相は総裁選以降、「新しい資本主義」をスローガンに、金融所得増税など分配を重視する政策を掲げてきた。でも、ツイッターでも指摘してきたように、彼の言う「新しい資本主義」は、僕には「新しい社会主義」に見える。

そもそもの前提として、日本がいま抱えている問題は「格差」ではない。むしろ「低すぎる生産性」だ。「金は天下の回りもの」と言われるように、適切な投資が成長を生み、さらにそれが投資を生むという循環こそがキャピタリズムの原則。成長や投資は若者のチャレンジ精神を刺激し、新しいイノベーションが生まれる土壌となる。そうして経済が成長していくことで、自然と分配も起こる。

本来、国はそうした環境を実現するためのプラットフォームを作っていくべきだろう。生産性の低さをどうにかしないことには、分配による格差の縮小も望めないからだ。まずは、イノベーションを阻害する既得権益を打破していくこと。実は、国民の多くもその必要性には潜在的に気付いているのではないか。小泉政権時代、既得権益打破を象徴する郵政民営化というテーマが支持されたのもその証左だと思う。

その意味でも、一度は撤回したとはいえ、岸田政権が金融所得増税を早々に言い出した時は、非常に間違ったメッセージを社会に投げかけてしまったように感じた。耳あたりの良いポピュリズム的な政策は短期的な支持率の上昇に繋がったとしても、中長期的には日本の衰退をさらに進めかねない。「お金を稼ぐ」ことに対して懲罰的な税制を掲げれば、日本の復活にとって重要な「挑戦する人々」のエネルギーがいよいよ削がれてしまうだろう。

岸田政権がそうしたポピュリズムに走る誘惑を捨て、より本質的な議論を国民全体で共有していく姿勢を見せられるかどうか。カーボンニュートラルへの真剣な取り組み、電力業界の三層分離、クリプトカレンシーや移民政策……。深めるべきテーマはいくつもあるが、何か一つでも目玉となるプロジェクトを発信して欲しいと思う。

もちろん、イノベーションには必ず「痛み」が伴う。ＡＩが発展していくにつれて、大手銀行では数万人単位のリストラが始まるだろう。あるいは、ガソリン車に代わってＥＶが主流になっていくと、自動車部品産業の雇用が失われるかもしれない。だから、保護的な政策をとって雇用を守らなければならない、という議論がある。けれど、そうして古い産業と仕組みを守り続けると、いずれは世界の潮流から大きく立ち遅れ、日本全体が「沈没」していくことになる。

2倍も3倍も多くの雇用が

厳しい言い方に聞こえるかもしれないが、規制を緩和し、イノベーションを起こしていく循環の中で、変化についていけない企業は市場から消えていくしかない。けれど、その循環をきちんとドライブし続けていければ、新しく生み出される産業からは２倍も３倍も多くの雇用が生まれるに違いない。それが、資本主義の在り方だし、ひいては国民を豊かに、幸せにすることになると僕は思う。

そのドラスティックな変化を、リーダーが覚悟できるかどうか。岸田首相は「『聞く力』が自分の武器」と語る政治家だ。周囲の意見に耳を傾ける姿勢はポピュリズムに陥る懸念がある一方で、日本を良い方向に導いていく可能性もある。

岸田首相には是非、イノベーションの「現場」に足を運び、そこにいる人々――特に世界の最先端を走るアントレプレナーたち――と接する機会を積極的に持ってほしい。そして、「これからの日本はイノベーションを推進していく。技術の日本の再復活だ」という狼煙《のろし》を大いに上げてほしいと思っている。

21　文通費よりデジタル安保を議論せよ

２０２１年末からの与野党の様子を見ていると、何だか目眩《めまい》を覚えそうになることもあった。特に僕が「それは本当にいま、最も必要な議論なのだろうか」と疑問に感じてきたのは、テレビのワイドショーなどでも大きく取り扱われてきた「文書通信交通滞在費（文通費）」の問題だ。

政治家に支払われる月にして１００万円というお金が、どのように使われているか。その使途を明確にして情報を透明化するのは、確かに必要なことだ。

しかし、文通費を「日割り」で計算すべきかどうかといった重箱の隅をつつく議論を、いつまでも続けているのはいかがなものか。国が動かす１００兆円という予算の規模を考えれば、文通費の細々としたあり方の見直しに多くの時間を使うことに、いったいどれだけの意味があるのか。僕は、どうしても疑問を抱いてしまう。

国会は、国の「未来」にかかわる大きなテーマを中心に議論すべきだ。とりわけこれから数年間は、日本がこのまま衰退に向かうのか、イノベーションや技術をベースとした復活を遂げられるかの分かれ道となる重要な時期。人口減少による技術者不足、それを乗り越えるための移民政策の是非、カーボンニュートラルに向けたエネルギー政策などテーマは山積している。

中でも「デジタライゼーション」の進展は、こうした課題が複合的に絡み合う重要なテーマだ。人口減少が進む日本では、エンジニアの数が圧倒的に少ない。2021年9月に発足したデジタル庁の官僚も、いつも「人がいない」と採用に悩んでいる。

でも、海外は違う。楽天グループのモバイル部門でも、世界最高峰の大学の一つに数えられるインド工科大学（IIT）から150人超のエンジニアを採用した。1カ月に100人規模で雇うことも可能なほど、インドには有能な技術者が溢れているのだ。

機密情報が他国に漏れる

デジタル技術で世界の後塵を拝していると、どのようなことが起きるのか。

デジタル庁の下に「デジタル社会構想会議」という有識者会議が設置された。僕もそのメンバーの一人だったが、会議で「呆れている」と発言した問題がある。

それは、先進国を自任している日本政府が、アメリカのクラウドサーバーを使おうとしているという点だ。政府が他国のサーバーを使うという発想に、なぜ官僚たちは疑問を覚えないのだろうか。例えば、グーグルやアマゾンのクラウドサーバーは、普通に考えれば、アメリカ政府の情報機関に閲覧される可能性がある。日本の国家の機密情報が他国に漏れるということだ。

ところが、こうした技術がない日本には、自らが定めたＩＳＭＡＰ《イスマップ》（政府情報システムのためのセキュリティ評価制度）の基準を満たすクラウドというものが存在しない。デジタル庁の官僚は「日本にはないのだから仕方ない」とグーグルやアマゾンを使おうとしているが、それをそのままで良しとする感覚が僕には理解し難いのだ。

コロナ禍のリモートワークで、行政機構でもニーズが高まったビデオ会議システムのＺｏｏｍやＴｅａｍｓも然り。国が使うソフトウェアの全てが外国製であることに、僕らはもっと真剣に危機感を覚えなければならない。今こそ、「いかに基準を満たしたクラウドサーバーやビデオ会議システムの技術を、この日本で開発していくか」ということを議論していくべき時なのだ。

ところが、岸田政権発足以降も、そうした「デジタル安全保障」の問題をはじめ、「10年後の未来」のあり方を問うテーマが、国会の場でしっかりと議論されている様子はない。それどころか、与野党が延々とやり合っていたのが、国会議員の文通費や給付金の問題だったのだから、僕は唖然としたわけだ。

時限的な消費減税を

給付金問題では、クーポンを組み合わせるかどうか、で政府の方針が二転三転した。しかし、そもそもシンプルに考えれば、コロナ禍に対する国民への経済的な対策は、消費税を時限的に下げれば済むことだ。

にもかかわらず、短期的に経済を刺激したいのか、長期的に子育て支援をしたいのか、という本質的な方向性を曖昧にしたまま政策を進めるから、現金とクーポンの組み合わせというトランザクションコスト（取引コスト）の高いやり方を組上に載せてしまう。そして、その議論を新聞やテレビなどメディアが煽り続ける、というポピュリズム的なスパイラルが続く。

このような日本の政治やメディアの状況に対して、敏感に反応しているのが優秀な若者たちだろう。例えば、キャリア官僚を目指す若者の数は年々減っている。報道によれば、2012年に30パーセントを占めていた東大出身者の割合は14パーセントにまで減り、2016年から6年連続で過去最低を更新したという。

国会が国の将来にかかわる大きなテーマを議論せず、目の前にある小さな問題ばかりを取り扱う様子を見ていれば、優秀な頭脳を持つ彼らが行政の世界で働くことを敬遠するのは至極当然だ。保守的で失点ばかりを恐れる官僚という仕事は、もはや彼らにとって全く魅力的ではなくなっているのだろう。

しかも、国会答弁の作成など長時間労働も当たり前で、報酬だって決して高くはない。もし本当に優秀な人材を国に集めたいのであれば、僕は国家公務員の給料をシンガポール並みの水準、例えば今の2倍ぐらいにしたらいいとさえ思う。

若者たちが官僚や政治家、さらには国を動かすリーダーになることを敬遠するような社会に「未来」はない。デジタル安保の問題をはじめ、イノベーションに携わる場所で働きたいと願う若者たちが、政治や行政の中枢でも活躍できるような環境づくり——それは、待ったなしの課題だ。

22 菅首相に伝えた三つの「提言」

僕は東京五輪の開催については明確に反対の立場を表明してきた。新型コロナウイルスが流行するなか、日本の心許ない防疫体制では、海外から大勢の選手や関係者が集まること自体が「自殺行為」だと思えたからだ。これは僕だけではなく――表立って意見を言うかどうかはともかく――多くの企業経営者も本音では反対だったに違いないのだが。

その意見は今も全く変わらないが、一方で「五輪はどうやっても開催されるだろうな」と確信した時、僕がすぐさま始めたのは「次の行動」に移ることだった。「開催するのであれば、少しでも守りを固めなければならない」――すなわちワクチン接種を少しでも早く、多くの人々の間に広めていくために何ができるのかを考えて動き始めたのだ。

その最初の一歩として、ワクチンの接種体制強化の提言を伝えるため、菅義偉首相のもとを訪ねたのは2021年5月2日のこと。政府は4月下旬に7月末までの高齢者の2回接種完了を目指すと言っていたが、その頃の接種人数は到底間に合うペースではなく、もどかしさを感じていた。

菅首相とは以前から勉強会などで顔を合わせる関係だったが、携帯電話の事業者ともなった僕とは、首相もできれば会いたくなかっただろう。実際に、最近ではほとんど話す機会がなくなっていた。ただ、この年の4月の訪米以降、首相が五輪開催の意志をより強く固めたように感じたので、今回だけはどうしても会ってほしいと連絡をした。

目的は集団免疫の獲得

公邸で会った首相に対し、僕は主に三つの「提言」を伝えた。

一つは接種体制の強化に向けて民間のアドバイザリーボードを作ってほしいということ。二つ目はアストラゼネカやジョンソン&ジョンソン製のワクチンを、国内でも使用できる環境を速やかに構築すべきであること。そして、特にこだわったのが三つ目、各企業での「職域接種」を早急に認めてほしいということだ。

この三つの提案にはそれぞれに大きな理由がある。

まず民間のアドバイザリーボードが重要なのは、ワクチン接種の特性上、サプライチェーンのノウハウが活かせるはずだからだ。例えば、楽天の「スーパーセール」では1日に500万件、多ければ800万件近い取引を処理している。大手コンビニチェーンにしても、ワクチンの調達や在庫管理、流通などは得意分野そのものだろう。そうした民間の知見をうまく活用すれば、1日に100万回どころか、200万回や300万回という体制も作れるはずだ。

二つ目のアストラゼネカやジョンソン&ジョンソン製ワクチンなどの承認が進んでいなかったのは、政府が国内での治験にこだわってきたことが背景にある。本来、海外の治験データだけでも特例措置で承認が可能なはずだ。ところが今回のコロナワクチンに関しては与野党間の合意を受け、あくまで国内治験で安全性を確認することが求められた。だけど、それだと欧米の承認から3カ月以上も遅れてしまう。

確かに「安全が大事」と言われれば誰も反対できない。でも、その判断から透けて見えるのは、「何かあった時に責任を取りたくない」という政治家や官僚たちの意識ではないだろうか。そこで僕は首相にも「使わないかもしれないが、秋以降はワクチンの供給がどうなるかも分からない。万一のための備蓄として、緊急で使えるようにだけはしておくべきだ」と強く伝えた。

そして、三つ目の「職域接種」。僕はこれこそがワクチン接種率を上げるための切り札だと思って、首相にもこう言って直談判した。

「企業単位で接種をするべきです。例えば、単純計算では、うちの会社であれば3万人規模の社員を3日で終えられる想定です」

そもそも僕らがワクチンを接種する目的とは、集団免疫を獲得して感染拡大を抑え、社会活動を以前の日常に近づけることに他ならない。そのためには7割超の人たちが免疫を持たなければならないとされる。

だからこそ、アメリカでは全国チェーンのドラッグストアやドライブスルーでの接種も取り入れ、「ワクチンの打ち手」も緊急的な法改正によって、薬剤師や歯科医、獣医師などに広げて確保したわけだ。「集団免疫の獲得」という本質的な目標を見据えれば、希望者に片っ端から接種するのが戦略的であるという一貫した判断が、そこにはある。

接種券は要らない

対して日本はどうか。「公平」が強く重視されたように見える。だけど、そもそもワクチン接種における「公平」とは何だろうか。

ワクチンを接種して抗体を持つようになった人は、自分の感染だけではなく周囲の人への感染も防ぐようになる。先に接種する人だけが利益を得るわけではない。医療従事者や基礎疾患を持つ人、高齢者への接種を優先させるのはいい。でも、その「公平」にこだわり過ぎて、「集団免疫の獲得」というワクチン接種の本来の目的を見失ってしまっては本末転倒ではないか。

その問題を象徴する最たるものが「接種券」という発想だろう。

もともとワクチンは国民全員に一人残らず接種するわけではない。にもかかわらず、なぜそこまで単品管理にこだわる必要があるのか。人数も手間暇もかかる。僕には大きな疑問だった。ワクチン接種の加速にはそのボトルネックになっている「接種券」を不要にするべき——その後も河野太郎担当大臣や与野党の幹部を回り、何度も繰り返し訴えた点だ。

さて、この「職域接種」については、河野大臣のリーダーシップもあり、急速に事態が動いた。そんな中、僕も神戸での大規模接種センターの構築にかかわると同時に、楽天社内での職域接種の体制を作るために走り回ることになった。

23　打ち手不足はこうして解決した

２０２1年5月上旬からワクチン接種の問題に関わるようになった僕が、最初に指示したのが神戸市での産学官連携による接種体制作りだった。「ヴィッセル神戸」の本拠地・ノエビアスタジアム神戸で、大規模接種オペレーションを行うというものだ。

この大規模接種では神戸市や神戸大学、神戸大病院や慈恵医大、ＳＢＣメディカルなど8者の協力のもと、国内初の産学官連携による接種体制「神戸モデル」の構築を目指した。

具体的には、２カ所の接種ブースに看護師3名が衝立を挟んで対応できるようにし、接種担当2名と補助役1名でローテーションしながら実施することで最小限の医療従事者で安全かつ迅速に接種を行えるようにする。オンライン予診を活用することで、現場にいない医師にも協力を得られる環境を整える。在庫がなくなったブースに対し、連絡をしなくても新たなワクチンが供給される工夫、カンバン方式を徹底する。もちろん、日々のオペレーションの中で、１秒でも効率化するためのカイゼンを繰り返していくことも重要だ。

「神戸モデル」を作る上で大切だと考えていたのは、効率的な「仕組み」をまずはしっかりと作り、実際に運営することによって、周囲の接種体制にも広く影響を与えていくという狙いを持つことだった。

実際はどうだったか。受付から接種までの時間を約3分半に短縮し、6月末までにはノエビアスタジアムだけで1日4000人、累計7万人弱の接種を実現させた。結果、神戸市の感染者は4月下旬の250人前後をピークに、6月下旬以降、1桁台の日も出てくるようになった。現在ではそのガイドラインやマニュアルを全国の約30の観光地の温泉組合、自治体、企業に提供している。

ややこしい予診票

この「神戸モデル」を活用する形で、2021年6月21日から開始されたのが懸案の「職域接種」だ。東京の本社オフィスでの職域接種を含め神戸モデルとして掲げたのは、順次開設していく地方の接種会場も合わせ、1日に3万回以上の接種可能数を実現するオペレーションの構築だった。

従業員とその家族の約6万名の接種を早期に終え、それぞれの会場で近隣に暮らす方々や取引先などにも、いち早く接種の機会を提供する。それが「集団免疫の獲得」という目標のために企業ができる社会貢献であると同時に、楽天グループの考え方や姿勢を伝えるものにもなるという思いがあった。

さて、実際にそんな接種体制の構築に携わって分かったのは、ワクチンの「打ち手不足」

といった課題も、オペレーションの工夫次第で十分に解決できるということだった。「神戸モデル」では神戸大病院と慈恵医大、SBCメディカルなどに医師の派遣を依頼した。また、地域の医療機関の医師も終日はダメでも、「午後の3時間くらいであれば行ける」と言ってくれた方が思った以上に多かった。さらにオンラインによる予診を組み合わせることで、医師7人で1日5000人規模の接種を実現できることが分かった。

時間さえあれば個人で協力してくれる医師や看護師は多く、薬剤師も民間の調剤薬局チェーンに依頼すれば集まる。彼らが協力しやすい環境と効率的な接種の仕組みさえ用意すれば、巷で言われてきた人手不足はそれほど問題にならないのだ。

そして、「職域接種」を可能にした何よりのポイントが、「接種券なし」での接種が認められたことだった。国は接種券の送付を各自治体に任せたが、地域によって届いたり届いていなかったりしている接種券の存在は、大規模な接種をスピード感をもって進める上での最大のボトルネックだった。

結果的に職域接種に限っては、接種後に発送された接種券を企業側が回収し、予診票に添付して国に送るという妥協案がとられた。ただ、これにも疑問は残る。あくまで接種は「目的」ではなく「手段」のはず。ワクチン接種の目的は「集団免疫の獲得」であり、そのためには約7割の人が接種を完了すればよい。

ならば、誰が接種をしているかという情報を国が個別管理することに、一体どれほどの意味があるというのだろうか。にもかかわらず、厚生労働省は1億人分の予診票と接種券を集めるという姿勢のままだ。その予診票も中身がややこしい。全部「ノー」にチェックをつけたら終わりではなく、「ノー」にチェックをつけたり「イエス」にチェックをつけたりしないといけない。だから、時間だって余計にかかってしまう。

無謬性にこだわる官僚

僕が思うのは、こういう細かな決まりの一つ一つが「ちゃんと仕事をした」「一度決めたことはやめたくない」という官僚たちの〝アリバイ作り〟ではないか、ということ。「常に自分たちは正しい政策をしている」という行政の無謬性。それこそが、現場の余分な作業を増やした典型例だといえるだろう。

こうした現実に直面していると、僕は新型コロナウイルスの流行というものが、日本という国の抱える様々な問題を浮かび上がらせ続けている、と改めて思う。

ワクチン承認の遅れの背景に見え隠れする「責任を取りたくない」という考え方、前例踏襲や無謬性《むびゅう》にこだわる官僚や行政……。さらに言えば、彼らがそのような思考パターンを持つようになったのは、小さなミスを殊更にあげつらってきた報道のあり方や、失敗を許さない世論の雰囲気も背景にあるに違いない。

だからこそ――。

「民間の力」で世の中を動かし、「未来」を作り変えていかないといけない。「民間」といっても、その主体は経団連といった古い組織ではなく、もっと新しい企業に移り変わりつつあるはずだ。

コロナ禍の右往左往を体験している僕らは、「お上に任せておけば何とかなるのではないか」という意識をいよいよ捨てるべきなのではないだろうか。国が何とかしてくれるという考えを捨て、怒る時には怒り、言うべきことを言う。コロナ後の社会をより良く変えていくためにも。

24　忘れられない検査着姿の安倍さん

安倍晋三元首相とは生前、官邸での会議や時には食事の席でご一緒させて頂いた。中国、アメリカとの国際関係、世界のエネルギー政策、二世議員の在り方。多岐にわたるテーマを語りながら、「世の中ではこういうふうに言われてるけど、実はこうなんだよな。ハッハッハッハッ」と明かしてくれたり……安倍さんと話をするのは、本当に楽しかった。

ただ、もともとはそれほど親しい間柄だったわけではない。最初の記憶としてぼんやり残っているのは、第一次政権の後、観光地でバッタリ会った際に「あれ、こんなところで何してるんですか？」と挨拶したことかもしれない。安倍さんもまだ「もう一度首相を目指す」という感じではなかったように思う。

でも２０１２年末、再び首相の椅子に座ることになる。そして僕も産業競争力会議のメンバーに呼ばれるなど、安倍さんと接する機会が増えていった。当時感じていたのは、安倍さんもまた、日本を海外に向けて開けた国にしたいという強い想いを抱いていたということだ。

実際、外国人観光客を増やしていくことの重要性を掲げ、外国人労働者の受け入れ拡大なども前向きに進めてきた。英語教育も「これからの日本にとっていかに大事か」と訴えると、真剣に耳を傾けてくれた。

特に、現職首相としてシリコンバレーを訪れてくれたことが思い出深い。あの時はイーロン・マスクにも会われたし、テスラの電気自動車にも乗られた。ベンチャー起業家と一緒のラウンドテーブルにもご参加頂いた。僕の目には安倍さんが生き生きと、それこそ未来の世界を感じているように映った。彼らの率直な声を、現地で聞いた初めての首相だったのではないだろうか。規制を撤廃して民間の力を活用することが、日本を復活させる改革の要なんだと実感してもらえたと思っている。

官邸で直接抗議した

一方で産業競争力会議では、医薬品のネット販売を巡って安倍さんと激しく衝突したこともあった。最高裁が２０１３年、ネット販売を規制する厚労省に対し、違憲判決を下したにもかかわらず、政府は計28品目について要指導医薬品という規制のための新たな医薬品カテゴリを作ってネット販売を禁じようとしたのだ。僕は「何のための規制改革なのか」と官邸まで行って安倍さんに直接、抗議をした。一対一で長時間話し合ったが、膨大な国の予算を差配する安倍さんからすれば、小さい話だったのかもしれない。「99パーセントを解禁したのだから1パーセントくらいいいじゃないか」という雰囲気だった。「三木谷君、ほんと頑固だよね（笑）」と思われていたかもしれない。

結局、僕が押し切られるというか、政府にあしらわれるような形でその規制が認められてしまった。それは、最高裁ですら認めた規制改革が、官僚や既得権益を持つ人々の思惑によって、いかに骨抜きにされてしまうかを実感した瞬間だった。

アベノミクスについても、評価は難しい所だ。金融緩和や財政出動について言えば、短期的なカンフル剤としては良かったと思う。ただ、あくまで短期的なカンフル剤だから、そこからファンダメンタルズ（経済の基礎的諸条件）がついてこないと意味がない。そのために必要なのが、規制を打破する成長戦略だったはずだ。しかし果たして、本当に成長戦略を描くことができたのか。そこについては物足りないという印象だった。

産業競争力会議で声が大きかったせいもあったのか、2016年に始まった未来投資会議のメンバーには選ばれなかった。それでも、様々な場で安倍さんとは意見交換を続けてきたし、日本を世界に向けて開いていくという大きな方向性については共有できていたと感じている。

思えば、政治的な主張や考え方では相容れないと感じる時も少なくなかった。例えばＬＧＢＴや夫婦別姓を巡る議論では、社会にとってダイバーシティこそが最も大切だと信じている僕には、素直に頷けないところもあった。森友問題での国会答弁など、彼の攻撃的な面はメディアでもよく取り上げられていたように思う。

国葬には賛成だ

ただ、安倍さんは、優しい一面もあった。今でも忘れられないのは、僕の父が末期のすい臓がんで入院していた時のことだ。父の病室に付きっ切りでいた際、ちょうど安倍さんも健康診断で同じ病院に来ていたという。彼は検査着姿のまま父の病室に来て、お見舞いの言葉をかけてくれた。その気遣いには本当に驚いたし、有難いと感じたものだった。検査着を着た総理大臣に会うようなことは、後にも先にもそれが最後だろう。

そんな気さくな一面や気遣いができるからこそ、あれだけの派閥を率いることができたのだろう。第二次政権を持病の悪化で退陣した後も、食事をする機会があった。お酒はほとんど飲んでいなかったけれど、その頃にはもうすっかり体は元気になっていて、日米関係の行方についてお話し頂いたり、「習近平はこんな人だよ」と教えてくれたり、安倍さんらしい楽しい宴席だったことを覚えている。

だから、２０２２年7月8日に亡くなられたことは、あまりに突然で衝撃的なお別れだったというほかない。出張先の米国から帰国し、次の日の7月10日の夕方、安倍さんのご自宅に弔問にうかがった。本当に優しい表情で眠っておられた。

残念なことに、安倍さんの国葬を巡っては分断が生まれるような状況が生まれていた。もちろん、色んな意見があるのは理解できる。ただ、確実に言えるのは、安倍さんが歴代最長の政権を築き、外交的にプレゼンスを大きく高めたことだ。これだけ長く一国のリーダーを務めた方には、主義主張の違いを越えて敬意を払ってもいいのではないか。僕個人としては、国葬を行ったことに賛成だ。

けれど、今こそ議論すべきは、安倍さんの推し進めてきた政策をどのように発展させていくか、イノベーションをドライブさせていく国づくりを構築していくか、ではないだろうか。日本の成長のために粉骨砕身してきた安倍さんも、そのことを天国で願っておられると思う。

5

税金を下げて
移民を受け入れよ

25　日本の技術者不足は本当に深刻だ

新型コロナウイルスの流行は、日本という国の様々な課題を浮かび上がらせてきた。政治家たちの危機管理対応、無謬性にこだわる官僚機構……。日本の構造的な問題が、誰の目にもはっきりと見えるようになった、と言えるだろう。

感染者の情報管理を未だファクスに頼っていたことに象徴されるように、行政機関や医療分野でのＩＴ化の遅れもその一つだった。一連のコロナ対策の右往左往を見ていると、政治家にも官僚にも未来志向の人があまりに少ないのではないか、と痛感する。僕が神戸市での大規模接種や職域接種など、ワクチンの課題にかかわったのもそれが理由だ。

国内の些末な問題にかかわっていると、国がさらに内向きになっていってしまう。それは人口減少と低成長という現実の中で、由々しき状態だと僕は思っている。

さて、前述の課題はどれもが早急に改革する必要のあるものばかりだが、なかでも僕がとりわけ強く危機感を覚えたのが、日本における「技術者の質と量のお粗末さ」が鮮明に見えてしまったことだ。

ワクチン接種のシステムを運用すればすぐにトラブルが起き、感染者の情報を管理する厚労省の「ＣＯＣＯＡ」といったアプリケーションも結局はまともに開発できない……。

そうしたシステムを社会の中で機能させられなかったことは、良い悪いという評価を下す以前に、現在の日本のソフトウェアの開発力を如実に表していると思う。

日本の「未来」を考えていく上で、この「技術者不足」というのはあまりに大きな課題だ。

「観光」以外は厳しい

日本の経済がこれから「何で稼ぐか」については、まず四つの産業領域に大きく分類される。「金融」「製造」「ＩＰ（知的財産）」「観光」だ。

では、この四つのなかで現在の日本にはどのような選択肢があるだろうか。

パンデミックによって今は厳しい状況だが、「観光」は「稼げる領域」として未来があるだろう。日本の観光資源やホスピタリティの高さは、世界から人を呼び込む力を持っている。

ただ、残りの三つの領域については、かなり厳しい見方をせざるを得ない。

「金融」の本質は、ＧＡＦＡを生むようなリスクマネーだ。

もともとは半導体企業が中心だったシリコンバレーが大きく発展したのは、そこにいた起業家たちの「未来」に対するビジョンや挑戦に対して、巨額のリスクマネーが流れ込んだからだった。リスクを引き受けて後の大きなリターンを志向するのは、金融市場の常識であるはずだが、日本の市場はマネーはあってもその点が非常に未成熟で、成長性が感じられない。

次に日本が長く得意としてきた「製造」はどうか。

日本の製造業は大きな雇用を生み、高度成長期では日本の経済の核となってきた。しかし、ここでもテクノロジーの進化によって現場の合理化やIT化が進んでいる。「人」がモノを作るパーセンテージは、どんどん低くなっていくだろう。

そうなると残されているのは「IP」である。

インターネット上では多くの場合、IPオープンになっている。よって、それを利用して様々なアイデアや表現を実現したり、システムを開発したりできる可能性が開けているわけだが、だからこそ、その世界で「稼ぐ」ためには技術者の少なさが致命的な問題となる。IPを活用したビジネスでは、イノベーションを常に起こしていく必要があるからだ。

つまり、日本はかつていくつかの産業分野でアドバンテージを持っていたが、現状では成長分野への投資額も技術者も足りておらず、グローバルな視点から見ると極めて厳しい状況にある。これがマクロ的に見た日本の現実なのだ。

「移民」を受け入れよ

それでは、日本の技術者不足はどれくらい深刻な問題なのか。それを理解するためには、大学などで情報工学を専攻する学生の卒業数を見ればいい。

例えば、日本の情報工学専攻の卒業生は、1万人から1万5000人程度だと思われる。対して、アメリカでは約40万人、これが中国になると100万人となり、さらにインドは200万人という規模になるはずだ。

少なくともコンピュータ関連のエンジニアは、世界に数百万人いるうちの1万人程度しか日本では生み出されていかない、ということ。国内で工学教育に力を入れたり、少子化対策をしたりすることは大切だが、実は日本の技術者不足はもはやそうしたレベルの話ではないのだ。

そうすると、この課題を乗り越えるための唯一の方法は、やはり「移民」を受け入れていく、ということのほかないだろう。

すでに述べてきた通り、日本には海外から人を呼び寄せる「観光」に活路がある。人々がそれなりにオープンで親切、食べ物も美味しく、街もきれいで、物価も欧米に比べれば安い。治安だって良い。

もちろん、日本語という言葉の難しさの問題はあるけれど、外国人がそうしたイメージを抱いていることは、今なお日本という国の大きな長所であり魅力である。幸いにも、日本で働きたいという外国人はまだまだ多い。

しかも今、最先端を走っていたアメリカが内向きに閉ざした国になりつつある。一方で、追い上げていく中国の体制に不安を覚える人も少なくないだろう。だから、日本にとって、チャンス。いや、ビッグチャンスと言ってもいいかもしれない。こうした状況を生かさない手はないと思う。

では、この「移民」と「技術者」を巡る問題について、僕らはどう考えていくべきだろうか。その視点は「未来」を見据える上で非常に大切なものだ。

26　移民受け入れの議論に必要な「二つの視点」

東京・二子玉川にある楽天グループの本社ビル・クリムゾンハウスのオフィスには、いつも多くの外国人の社員たちが行き交っている。

とくに近年では新規のエンジニアの採用において、楽天でも外国籍の人の採用数は右肩上がりだ。今では日本のオフィスに新しく入ってくる6～7割が外国人で、ロシアや中国から来ているエンジニアも多い。楽天モバイルのCTO（最高技術責任者）もインド人だ。

だから、本社ビルで新型コロナワクチンの職域接種を行う際も、彼らがスムーズに接種を済ませられるよう、表示や案内、問診表などに様々な配慮が不可欠だった。それでも、彼らが楽天という企業のプロジェクトに関心を持ち、その挑戦に参加したいという思いを持ってくれていることを嬉しく思っている。

それにしても、彼らの働き方に接しながら改めて実感するのは、仕事の中でのディベートの激しさだ。議論が白熱すると「ここのアーキテクチャはこうだろう」「いや、違う。こうすべきだ」とまるで喧嘩のようにエンジニア同士がやり合い出し、僕が「まあ、まあ、落ち着こうよ」と仲裁しなければならなくなる場面もよくある。

そうしたディベートの文化は日本にないものだが、遠慮なくストレートに意見を交わし合いながら物事を進めていく彼らの姿には、僕自身が大きな刺激を受けている。

日本人のスタッフの中には、その丁々発止の様子を見て、「ここまで言いたいことを言っていいのか」と最初は感じる者もいるという。だが、育った国や文化が異なり、生い立ちも含めて様々なバックグラウンドを持つ人たちが、仕事で意見をぶつけ合うことはとても大切だ。

そうした関係性の中でオープンな議論が日々行われ、それぞれの意見や得意な分野の知識が入り混じっていく——それが新しい何かが生み出される土壌になっていくからである（それは楽天グループが英語を公用語としている理由にもかかわっている）。

高度人材だけじゃない

「移民」の受け入れをどうするかについては、もちろん様々なレベルの議論がある。ただ、それを考えていく際に何より大切なのは、このテーマを「ディフェンシブな視点」と「オフェンシブな視点」の両方からきちんと見据える姿勢だろう。そして、その二つの視点は互いに分かち難く結びついている。

まず「ディフェンシブな視点」から見る「移民」政策とは、人口減少への対応である。現在の日本では出生率を上げる政策を続けても、すぐには人口減少に歯止めはかからない。よって技術者の数を増やすためには、移民はどうしても必要となる。

では、それならば高度な技術を持った高度人材だけを、移民として広く受け入れていけばよいかというと、そうではないと僕は思っている。なぜなら、これからの僕らが生きていくのは「ダイバーシティ自体がイノベーションをドライブする」という時代であり、それはすでに始まっているからである。これが、「オフェンシブな視点」だ。

GAFAに代表される企業が次々に現れるアメリカを見ればよく分かる。それらの企業がビジネスのベースとしている「技術」の生まれる背景には、アメリカという国の持つダイバーシティがあるからである。

例えば、マイクロソフトやグーグルの現在の社長はインド出身だし、あのイーロン・マスクは南アフリカ出身だ。「移民」の問題は様々な形で取り沙汰されるが、一方で本人やその二世や三世の人々が集まるアメリカの活力が、そのダイバーシティの豊かさによってもたらされていることもまた確かなのだ。

そして、重要なのはビジネスにおける「イノベーション」だけを見ても、それは高度人材だけによって起こされているわけではない、という、考えてみれば当然の事実だ。

日本の歴史を振り返れば

スティーブ・ジョブズの実父はシリア人の移民で、生まれてすぐに養子に出された。大学に進んだが、中退してヒッピーのような生活をした後、スティーブ・ウォズニアックとアップルを創業した彼は、いわゆる「高度な人材」でも「エンジニア」でもなかった。その彼が世界を変えるイノベーションを次々と起こしたことは象徴的だろう。

アメリカやヨーロッパ、インドや中国、ベトナム……。優秀とされる「人材」もファンダメンタルワーカーも次の社会を作り出す成員であり、「最先端」の技術を持つ人々だけが「未来」を作り出していくわけではない。

「イノベーション」を起こすためには、異なる価値観が混ざり合うこと自体に意味がある。「文化」や「未来」というものが、様々なバックグラウンドを持つ人々の混然一体となった関係性の中から作られていくように。「ダイバーシティ」自体がイノベーションをドライブする」とはそういうことだ。

アメリカが様々な課題を抱えながらもイノベーションの発信地であり続けるのと同様に、日本でも多様な価値観を持つ人々が交ざりあうことを、より良い「未来」を作ることにつなげていける可能性は大いにあるはずだ。

それは、日本の歴史を振り返ってみてもわかるだろう。漢字にしても中国から来たわけだし、様々な文化や価値観が大陸の影響を受けているわけだから。日本という国には本来、他国の文化を受け入れ、発展させていく土壌があるのだと思う。

繰り返しになるが、「ダイバーシティ自体がイノベーションをドライブする」——それはこの国の行く末を見据える上で決して欠かせないテーマであり、「移民」にまつわる様々な課題について考える際も、忘れてはならない視点だと僕は思っている。

27 税金が高い国に人材は集まらない

２０２１年11月8日、新経済連盟の代表理事として、新政権発足後初めて岸田文雄首相と面会した。「民でできることは民で」ということを改めて訴え、経済成長のためには新たな産業や企業を生み出すことができる環境が重要で、そのためには一層の規制改革を進めるようにお願いをさせていただいた。「未来」を見据えた大胆な改革の姿勢を期待している。

そこで僕が主張したいのは、「イノベーション・プラットフォーム」としての国、という視点を持つことの重要性だ。すなわち、新しい技術から新しいサービスを作り出し、世界に通用するビジネスを展開する人々を増やす。国内外の優秀な人材にとって居心地が良く、力を発揮できる環境をとにかく作っていく——。

そのために必要な条件は何か。具体的に挙げると、①税金を下げる、②言葉の壁をなくす、③規制を緩和する、という三つの方向性が不可欠だと僕は考えている。

けれど、それら一つ一つの現状を見ていると、どれも多くの課題を抱えていると言わざるを得ない。

一つ目の「税金」についてはどうだろうか。

そもそも日本の税金は高すぎる。住民税を含む最高所得税率は55％、相続税の最高税率は55％。つまり、稼いだお金の45％分しか手元に残らず、死亡して相続の際に55％分を収めるとすると、単純計算では手元に残るのは45％分の45％で20・25％分となり、実に最高税率が約80％（≒100％－20.25％）になることと等しい。

さらに、グローバルな人材を集める上で僕が問題だと感じているのが、ＥｘｉｔＴａｘ（国外転出時課税制度）というもの。ＥｘｉｔＴａｘとは、国外に転出をする際に1億円以上の有価証券等を所有している場合、それらの譲渡等があったものとみなして含み益に所得税が課税されるという制度だ。

日本では外国籍の人もその対象となっており、5年を超えて滞在すると適用される。日本で働く外国人の社員からすれば、楽天への入社前から持っていた資産に対して、5年後に帰国する時に課税されることになる。これを理不尽だと感じる人は、日本で働くという選択を躊躇するだろう。優秀な人材ほど税金の高い国にはわざわざ来ないのだから。

日本の英語力は世界78位

二つ目の「言葉の壁」。

2021年の「ＥＦ　ＥＰＩ」という英語能力指数のランキングによると、日本の英語力は前年よりも順位を下げて112カ国中78位となっている。

これから人口減少が進んでいく日本で英語力が「低下」していることは、国際社会で存在感を示していく上でも由々しき問題だ。

アジアの中でも日本の英語力の低さは目立っており、その差がますます開いていく状況を、まずはどうにかしなければならない。それが、楽天グループでも社内の公用語を「英語」とし、そのための様々な学習支援を行っている理由だ。海外から優秀な人材を登用する際、彼らに「日本でも言葉の問題は全くない」と感じてもらうことが欠かせない。

そして三つ目、最も重要なのが「規制緩和」だ。

例えば、自動運転という「未来」が確実に来るとすれば、それが実現した時に国際社会に後れを取らないため、あらかじめ様々な規制を緩和しておかなければならない。そして民間が生み出していくイノベーションを、時には「失敗」も許容しながら支えることは、今の時代における政治や行政の重要な役割だろう。

その点、州ごとに法律や規制が決められるアメリカでは、イノベーションの進展が段違いに早い。ネバダ州では自動運転のテストを公道で積極的に進められるが、別の州ではできない――といった州による競争原理が働くからである。この論点を推し進めていくと、各自治体間での競争を促すという意味で、日本でも道州制の議論をするべきだというテーマも自ずと出てくるはずだ。

ポリティカル・アポインティ

しかし、日本ではこの規制緩和が本当に遅々として進まない。

第二次安倍政権がアベノミクスを掲げ2012年12月に発足し、経済財政諮問会議に加え、産業競争力会議、規制改革会議を立ち上げた。僕も産業競争力会議の初期メンバーだったが、それから菅政権を含めて10年が経ったにもかかわらず、ただただ「議論」が続けられるばかりに見える。

結果的に成果としてどんな規制が撤廃されたかと問われれば、旅館業法の規制緩和で「民泊」が可能になったなどの例はあるが、地方自治体のレベルでは未だに重箱の隅をつつくような規制がいくつもあり、新しいイノベーションの芽を摘んでいるような面さえあるとも感じる。

もう一つ、岸田政権が発足し、僕が改めて強く思うことがある。それは、「ポリティカル・アポインティ」（政治任用）の必要性だ。

アメリカでは政権交代のたびに、官僚がガラリと入れ替わる。専門性を持つ行政官が、政治家によって任命される仕組みになっているからだ。日本では大臣が担う仕事をアメリカでは行政官が務め、国会には主に副大臣的な立場の政治家が呼ばれる。

だけど、日本では、専門性に欠ける大臣が当選回数や派閥の事情で任命され、国会で立ち往生するのは日常茶飯事。選挙の事ばかり考えていて、長期的な視野に立てない政治家たちが立法と行政を司っていると言ってもいい。果たして、それで本当に「未来」が見通せるだろうか。

凄まじいスピードで世の中が変化する時代、その時々の状況に合わせた政策を大胆に決断できるリーダーがいること。そして、経済、インフラ整備、医療、コロナ対策、それぞれの分野で専門的な知識を持つ人物が最前線で陣頭指揮し、国会議員はその任命の責任を負うこと――。

規制緩和や様々な改革を行うには、ポリティカル・アポインティまではすぐに実現しないにしても、そうした機能を果たすような新しい仕組みも必要なのではないか、と僕は思う。

28 シリコンバレーから「頭脳」が流出している

ここ最近、アメリカのシリコンバレーで、とても興味深い事態が起きている。シリコンバレーと言えば、かつてはイノベーションの中心地であり、世界中から若い技術者が集まる「聖地」だった。ところが、その「聖地」から企業や人材が離れ始めているというのだ。

アメリカにいる僕の友人が以前、こう言っていたのが印象的だった。

「シリコンバレーでは急速に『ブレイン・ドレイン』が起き始めている。もしかしたら、あの街からはもう新しいイノベーションは生まれないかもしれないね」

ブレイン・ドレイン。つまり、シリコンバレーから「頭脳」が流出している、という意味だ。

しかし、IT企業の「聖地」として長く持て囃されてきたシリコンバレーがなぜ、そうまで言われるようになってしまったのか。

その背景にあるのが、新型コロナウイルスの流行に伴う働き方の大きな変化だ。

コロナ禍で日本でも「リモートワーク」が進み、僕自身も会議を自宅から行うことが増えた。同じように、シリコンバレーでも「ワーク・フロム・ホーム」という言葉をよく聞くようになっている。

そんな中、アメリカで一つのスタンダードになりつつあるのが、「ノー・オフィス・カンパニー」という働き方である。

快適に仕事をするためには、自分の書斎くらいは最低でも持ちたい。そう考える彼らはより快適な住環境を求め、引っ越し先を探した。その行先は、シリコンバレーがあるカリフォルニア州よりも、税金の低いテキサス州やラスベガスのあるネバダ州、あるいは「住んで楽しい」と思えるフロリダ州だった。

テキサスが最先端都市に

日本に住んでいると、この話には少しピンと来ないところがあるかもしれない。税制をめぐる州同士、国内での自治体同士の競争というものが日本では起き得ないからだ。

だけど、アメリカでは国が徴収する連邦所得税とともに、各州がそれぞれ所得税を徴収している。州によって税率は異なっていて、シリコンバレーのあるカリフォルニア州では個人所得税は所得にもよるが、1〜12・3パーセント、法人所得税は約9パーセントだけれど、テキサス州では個人所得税も法人所得税も基本的に0パーセント。これだけ大きな差があるのだ。

だから、高い所得の優秀なエンジニアは、カリフォルニア州から税率の低い別の州へ次々と移住していく。そして、一度シリコンバレーを離れた彼らは、おそらく戻ってこないだろう。

企業だって同じだ。実際、すでにテキサスに移住しているイーロン・マスクは10月、テスラの本社もカリフォルニア州からテキサス州に移転する計画を発表した。オラクルもテキサス州に本社を移しており、ヒューレット・パッカードもそれに続こうとしている。

この流れはおそらく、もう止まらない。あと数年もすれば「ＩＴ企業のほとんどがカリフォルニアベースではなくなる」といった未来もあり得るはずだ。代わりに、カウボーイのイメージが強かったテキサスが最先端のＩＴ都市に取って代わる。

こうしたアメリカの状況を踏まえてみると、日本でも道州制の導入を抜本的に議論した方がいい、と僕は改めて思う。

例えば、こんなふうに想像してみてほしい。「『九州州』は『関東州』よりもＩＴ化が進んでいる。『関西州』は税金の安さでは一番」――そうした選択肢があれば、企業は様々な経営戦略を、人々は様々な働き方を検討することができる。それぞれの州が「未来」を見据えて多種多様な施策を打つような競争があったほうが、地域の活力は結果的に増していくに違いない。

だからこそ、現在のように全国一律の制度を「中央」が決めるのではなく、「リージョナル・コンペティション」（地域間の競争）を、日本はもっと起こしていくべきではないだろうか。それは、自ずと優秀な人材を世界から集めることにもつながっていくはずだからだ。

企業がＩＰを置きたがる国

日本の「未来」にとっていま必要なことは、「イノベーション・プラットフォームとしての国づくり」と述べてきた。

シリコンバレーからの「ブレイン・ドレイン」という事態は、そのための単純な一つの条件を教えてくれている。労働市場ですでに高く評価されているエンジニアは、税金の安い場所へと水が流れるように集まってくる。日本の税金は高すぎる。そこで暮らす僕らはそのことの意味を、もっときちんと考えなければならない。

天然資源のない日本では、海外から金と人を集められるものと言えば、観光くらいだ。日本は治安が優れていて、食べ物も美味しい。どの場所に行ってもこれほど高品質で安いサービスを受けられる国なんて、そう見当たらない。それは海外から人を呼び込むという意味で、本当に大きな財産だ。

だけど、そもそも、税金の高い国や場所に、国の未来を変えていってくれる優秀なエンジニアは集まらない。逆に考えれば、こうした「税金の高さ」を解消すれば、世界中の人材が自ずと集まってくる魅力が日本にはあるはずだ。

エンジニアの働き方は本来、場所を選ばない。コロナ禍によってその流れはより明確なものとなった。楽天モバイルでも大半のエンジニアはインドにいる。企業にとってはＩＰ（知的財産）が自分のところにあれば、海外のエンジニアにそれをデベロップしてもらっても全く問題はないからだ。

その意味で企業がＩＰを置きたがる場所が、税金の安い国だという基本をこの国はもっときちんと理解すべきではないか。そうした観点から税制を考える知的戦略・ＩＰ戦略が、日本の政治にほとんど見られないのは残念でならない。

29 次に新しい事業をゼロから立ち上げるなら

「次に新しい事業をゼロから立ち上げるとしたら、何を考えているんでしょうか？」

創業当初から続けている週に一度月曜の朝の楽天グループ全体会議「朝会」。グループの各事業の進捗や今後の目標、様々な研究成果が共有されるミーティングの場で、一人の社員からこんな質問を受けた。

この直球の質問に対する僕の回答の一つが、「環境・エネルギー」というテーマだ。楽天でのエネルギー関連事業と言えば、まだ「楽天でんき」くらいだし、何か具体的なビジネスプランを構想しているわけではない。けれど、世界、そして日本の「未来」を見据えた時、再生エネルギーをいかに普及させていくか、あるいは、発電・送電・小売の分離をどう加速していくか——こうしたことは、避けては通れない極めて重要な問題だ。

折しも世界的にエネルギー価格が高騰し、電気代などに大きな影響が出ている今、僕がエネルギー政策について考えていることを書いていきたい。

まずエネルギー問題について考える時、僕には前提にしている明確な「出発点」がある。それは、カーボンニュートラルの実現こそが、今すぐに進めていかなければならない世界的な喫緊の課題だということだ。

2021年秋の「国連気候変動枠組条約第26回締約国会議」（COP26）でも、CO_2排出量の枠組みが激しく議論された。エネルギー政策の中身は、もちろんそれぞれの国に固有の戦略や事情があって然るべきだ。しかし、大きな方向性は明確にしておいたほうがいい。

つまり将来的には風力発電、太陽光発電、地熱発電、水力発電などをマキシマイズ（最大化）し、とにかく電力消費を抑えていくこと。そして、企業も積極的に脱炭素を意識しながら事業を行うこと。こうしたことは国単位の個別の議論を超え、全世界78億人がコンセンサスを持って進めるべき課題だ。

ハーバード大での議論

僕がそう強く考えるようになったのは、ハーバード大ビジネススクールのアドバイザリーボードのメンバーとして、最先端の研究者が抱える危機感の大きさに触れてきた経験も背景にある。

各界40人ほどの研究者や企業経営者が集まるボードでは、人工知能やクリプトカレンシー（暗号資産）、医療など最先端の研究に関する議論が交わされる。そんな中、ここ数年の議論の半分以上を占めているテーマが、地球温暖化を中心とした環境問題だ。

2017年にトランプ大統領が誕生して以来、「温暖化は陰謀だ」という主張が一部で幅を利かせるようになってきた。しかし、現実は違う。アメリカでも、温暖化の影響は様々な形で表れている。例えば、深刻な山火事が次々に起こっているカリフォルニア州やオレゴン州。この十数年でその焼失面積は倍増しており、住宅街そのものが全焼して街を追われてしまった人々もいると聞く。

アドバイザリーボードのメンバーの頭にあるのは、この傾向がすでに後戻りできない危険水域に突入しているということだ。それこそ、地球の温度を2℃ほど下げるために、大気圏にサングラスのような〝科学の幕〟を張れないか、といった技術すらも彼らは真剣に議論している。

翻って日本はどうか。

CO_2の排出量について、日本には日本特有の事情があり、また、他国に比べても「まだマシ」という見方があるのは分かる。けれど、ハーバード大学の議論で世界の潮流に触れていると、そんな悠長なことは言っていられないと思う。温暖化という課題に積極的に取り組む姿勢は今後、日本が国際的な発言力や影響力を確保し続けるという意味でも、必要不可欠になってくるはずだ。

僕の考えを述べれば、島国の日本では、風力や海流を利用した洋上発電、住宅の屋根やビルの屋上でのソーラー発電を一気に進め、地熱発電や水力発電を組み合わせる方法がやはり理に適《かな》っている。さらに蓄電池の普及によって、全体の電力需要を最大でどれくらい賄えるか。その算段を「未来」に向けて今すぐにでも開始し、脱炭素・脱原発の方向へと舵を切るべきだ。

「送電」の見直しを

ところが、日本の政治がその危機感を共有し、真剣に国の将来を左右する課題として考えを深めているかと言えば、何とも心許ないものがある。

エネルギー問題で国論を二分してしまうのが、原子力発電だろう。

温暖化対策という枠組みの中で、原発の活用は短期的に見れば、一つの方策かもしれない。しかし、東日本大震災で原発事故を起こしたこの国で、十二分な安全性が確保されていると言えるだろうか。さらに、使用済み核燃料の処理という長期的な課題もある。広大な砂漠のような土地があるアメリカのような国ならともかく、島国の日本ではこの問題を解決できる見通しが立っていない。

極めて高い安全性の確保、使用済み核燃料の処理……こうしたことを総合すれば、原発のコストはあまりに高いというのが現実だ。

本来、こうしたエネルギー政策の抱える課題は、総裁選や総選挙の重要な争点として、大胆に議論を交わすべきものだ。だが、現在の政治がそれらの課題を真剣に議論しているようにはとても見えない。エネルギーの業界には既得権益があり、あるべき議論が進まないという一つの表れだろう。

しかし、エネルギー政策にこそ、イノベーションを取り入れていかなければ、確実に日本は脱炭素という世界の潮流に乗り損ねていく。

そして、そのイノベーションを促すために必要なのが、発電・送電・小売の分離――特に今は実質的に大手電力会社グループが独占している「送電」のあり方の見直しだ。エネルギー政策を改革していく上で、そのことはスタート地点としての重要な意味を持っている。

30　電気料金も競争を起こすべきだ

アメリカのシリコンバレーに長く滞在していた時、日常で使用する電気を巡る環境は、日本と大きく異なっていたものの一つだった。

２０１６年に電力小売市場が自由化されて以来、日本でも、アメリカと同じように電気を購入する会社を選べるようになった。

ところが、普段日本の家で生活を送っているとあまり意識しないかもしれないが、実は日本とアメリカでは電気料金が大幅に違う。州によっても価格差があるが、産業用電力は日本の３分の１程度、一般家庭向けは２分の１程度となっている。

なぜ、そこまで大きな差が出るのか。その理由は、必ずしも石油やＬＮＧなどの資源を彼らが持っているからではない。例えば、原油高によって、現在のアメリカでのガソリン価格は１ガロン＝４ドルほどとされる。１リットルに換算すれば、日本円で１２０円から１３０円程度だが、為替の影響を差し引けば、電気料金ほど大きな差があるわけではない。

では、何が差を生み出すのか。

アメリカと日本で決定的に違う点は、アメリカでは、「発電」「送電」「小売」の三つがしっかりと分離されていることだ。

電気料金の価格に大きな影響を与えるのは、実は発電そのものにかかるコストだけではない。電力を需要家（供給を受ける利用者）まで託送する送電コストや電力会社が行っている販売業務、送電網の管理業務といった経費、いわゆる販管費が電気料金の大きな割合を占めている。

通信業界と相似形

ところが、日本の場合、送電網が既存の大手電力会社によって実質的に独占されたままであるため、託送料金や販管費を抑える競争が働きにくい。

結果、どの電力会社を選んだところで、電気料金自体は大きく変わることがないのが実情だ。東京電力の電気を選んでも、はたまた東京ガスの電気を選んでも、それほど変わらない。よって、ライフスタイルに合わせて小売会社を一度決めてしまえば、生活の中で使う電力会社はほとんど固定されてしまう。

でも、冷静に考えてみたら、おかしな話だ。既存の電力会社が手厚く保護されているがゆえに、電気料金が高止まりしているのだから。その分、国民一人一人が日々の生活で不利益を被っている。

僕は「楽天グループとしての次の事業」を社員から質問され、「環境・エネルギー分野に関心がある」と答えたと書いた。エネルギー問題の解決が世界や日本の未来にとって欠かせないのがその最大の理由だけれど、もう一つ、電力業界の構造が、2020年4月に楽天モバイルが本格参入した通信事業と相似形に見えるということも大きい。

かつて日本の通信網は電電公社が独占していたが、1980年代から始まる自由化によってNTTが誕生した。その中で民間による競争が可能になったわけだが、国が行う携帯電話の周波数帯域の割り当てについては、NTTドコモ、KDDI、ソフトバンク3社の寡占状態がしばらく続いていた。

国が第4の携帯会社である僕らに対して、周波数を新たに割り当てたのは、2018年のこと。以来、携帯事業に競争原理が働き、携帯料金が劇的に安くなったのは知っての通りだ。その際、各社がしのぎを削って合理化したのが販管費だった。

電気にも、同じような競争が起きてもおかしくない。いや、競争を起こすべきだ。通信事業における「通話」が単なるパケットであるように、電気は誰がどこで作って売ってもただの電気でしかない。携帯電話には「つながりやすさ」や「ブランド」という付加価値がまだあるけれど、電気はコモディティの最たるもの。そうした付加価値はないと言える。

電気代が安くなればどんなメリットがあるか。個人の生活で見れば、電気代の低下によって浮いたお金で付加価値のある商品を買ったり、自分のスキルを高めたりできる。

また、企業にとって電気代のコストが非常に大きいことは言うまでもない。製造業を中心としている日本ではなおさらだ。将来的に電気自動車が主流になった時、電気代が高い国では勝負にならないだろう。

ここは国が介入すべき

通信やエネルギーといったコモディティは、本来、安ければ安いほど良いもの。資本主義社会において、マネーは天下の回り物だ。余ったお金によって消費や設備投資が積極的に行われ、様々なイノベーションを成長のドライブにしていく。そうして発展した技術を海外にも輸出できるものに育てながら、その成長の結果として自然と分配を起こしていく——。それがキャピタリズムの本質であり原則だろう。

既存産業の「保護」ばかりに目を向ける日本の政治の根底には、このキャピタリズムというものの本質への無理解があるのではないか。これから先、その無理解が日本の産業の足を引っ張るようになることを、僕は懸念している。

日本の〝構造的〟な電気代の高さは、設備投資や技術革新を阻む大きな障害となっている。だからこそ、エネルギーを輸入に頼る割合が高い日本において、携帯電話がそうであったように、〝販管費〟をゼロに近づけていくような競争をいかに促すかを、政治の側も重要な論点にしていくべきではないだろうか。

巨大な既存の電力会社を守る構造を改革し、民間による公平な競争が起きるマーケットメカニズムをいかに作るか。電力コストの高い国である現状からいかに脱出していくか。「民にできることは民へ」と言い続けてきた僕だが、ここは国が介入すべき場面だ。現状の電力プラットフォームに対して、国こそが戦略的な介入をしていかなくてはならない。

プラットフォームコストの安さは資本主義社会が発展するための前提条件であり、エネルギーコストの高い国に「発展」という未来はないのだから。

6

英語教育の改革は急務だ

未来力

Be A Game Changer

「10年後の世界」を読み解く51の思考法

31 僕が経験した日米の学校教育

人の記憶というのは面白いもので、幼い頃の出来事でも、脳のどこかにメモリーとして残っているものだ。

僕は小学2年生の時からの2年間、経済学者だった父がイェール大学の研究員になった関係で、アメリカのブランフォードという街で暮らした。ニューヨークから距離にして東に150キロほどの街なのだけれど、40年後に訪れた時も、「あ、ここは左だな」「次の通りを右だな」と全く道に迷うことなく、かつて住んでいた家にたどり着くことができた。

父は3人の子どもの教育については割と放任主義だったが、特に出来の悪かった末っ子の僕にはとりわけ自由にさせていた。それは、アメリカ暮らしでも変わらない。パブリックスクールに通うことになったものの、当然、英語は全く分からなかった。

ところが、父は僕に「Ｂａｔｈｒｏｏｍ（トイレ）はどこですか？」という言葉だけを教えて、そのまま学校に送り出したのだ。僕もその頃から思い切った性格で、その日のうちに「家においでよ。Ｃｏｍｅ！」と言って友達を作り、引っ越したばかりの家に連れてきたのを覚えている。

7歳からのわずか2年間のことだったけれど、今から振り返ると、その時、アメリカでの「教育」に触れた経験はとても大きいものだったと思う。なぜなら、最初に経験したのが、アメリカ型の「思考力」を大切にする授業だったからだ。

逆に、アメリカから戻った僕にどうしても合わなかったのは、それとは全く考え方の異なる日本の「指示行動型」、いわば〝右向け右・前ならえ〟式の教育の手法だった。

アメリカにいる息子は

そもそも小学校や中学校、さらには高校くらいまでの教育の目的とは何かと言えば、大きく分けて、基本的な人間形成や特定技能の習得、リーダーシップの育成だと僕は考える。その中のどの部分に力を入れるかが、学校教育の大きな方針となるはずだ。

アメリカではその点の目標設定が明確だった。国として論理的思考力を重視し、最低限の語学力と理数系の能力を培おうという方向性がある。物事の背景について深く掘り下げたり、議論をしたりしながら、考える力を養っていこうというわけだ。

ちなみに、僕の18歳の息子もいま、アメリカのボーディングスクール（全寮制学校）に通っているが、その様子を一人の父親として端から見ていても、日本の高校との違いが際立っている。

例えば、日本で「期末テスト」と言えば、十数科目の教科を幅広くカバーするのが一般的だ。一方で息子の学校のテストはわずか5科目だという。その代わり、うちのエンジニアでも考え込みそうな宇宙物理学の複雑な課題だったりする。

アメリカの教育はエリート教育とその他に二分化されており、全ての学校が優れていると礼賛するつもりはない。でも、決してお金持ちだけがエリート教育を受けることができるわけでもない。実際に奨学金などの制度は充実しており、例えばスタンフォード大学などは家庭の年収が1500万円未満の学生は授業料が原則無料だ。アメリカでは大学が独自のファンドで自由に資金を運用していて、ハーバード大学は6兆円の資金があるという。彼らはそうして得た資金を、若者たちの「未来」に投資しているのだ。

一方、日本の教育はどうか。アメリカから帰国後、日本の学校にも通ったが、日本史や世界史が〝暗記科目〟のように扱われていることには甚だ疑問だった。授業で「いいくに作ろう鎌倉幕府」と、語呂合わせで年号を覚えさせるような教育だ。果たして、知識をただただ暗記することにどんな意味があるのか。

もしこれが「深く考えさせる教育」という視点で授業が設計されていたら、そんなバカげた暗記を重視したりはしないだろう。鎌倉幕府が成立した時代背景、その中世の社会の特色や価値観などを学び、あくまでも「このトピックについてあなたはどう考えますか」「そこから私たちは未来に向けてどのような考えを導き出せるだろうか」という問いかけがなされるはずだ。

「英語教育」が酷過ぎる

僕自身は事業をしながら、日本の学校での勉強が役に立ったと実感することはほとんどない。日本史の暗記もそうだし、中国人でも読まないような漢文をレ点や一二点をつけて読解することに何の意味があるのか。国語、数学、理科、社会のテストをして、それで人より多くの正解を得ることが本当の能力なのか。

違うはずだ。グローバル競争が激化する時代、求められるのは、「論理的思考力」に他ならない。

そして、もう一つ、グローバル社会において日本の学校教育には重大な問題がある。「英語教育」が酷《ひど》過ぎるということだ。

英語はいま、小学3年生から授業が始まる。大学までにおよそ2000時間もの学習時間が与えられる。にもかかわらず、日本人の多くが英語の日常会話すらできないのはなぜなのか。英語教育の内容に大きな問題があるからだ。

基本的に言葉の勉強は、喋る、聞く、読む、書くの順でやるべきなのに、日本では、書く、読むが先。真逆になっているのだ。教師の問題もある。もともと英語教師の基準は英検準1級程度だったが、教師が足りなくなってしまい、ハードルを下げたと聞いた。このレベルの教師が幾ら教えても、生徒の英語力は上達しないだろう。

もしこれが企業であればどうか。言語や会計の勉強の機会を社員に用意し、100時間かけて効果がなければ経営者失格だ。だが、それと同じような状況を、文科省は英語教育について続けている。これを税金の無駄遣いと言わずして何と言うのか。もっと言えば、子どもたちの「未来」を奪う行為と言ってもいい。

このグローバル社会において、日本の「未来」を担う子どもたちの教育とはどうあるべきか。「論理的思考力」と「英語力」をどうやって育んでいくのか。今こそ、日本の将来のためにも本気で考えて欲しい。

32　批判も浴びた英語公用語化だけれど

楽天モバイルをＣＥＯとして率いる仲間に、タレック・アミンというヨルダン出身のエンジニアがいる。

彼は幼い頃からコンピュータ工学に才気を見せ、アメリカで過ごした学生時代にはインテルから声がかかるほどの優秀な人物だった。そのキャリアは、モバイル通信業界の最前線で常に活躍している華々しいものだ。Ｔ－Ｍｏｂｉｌｅ社やファーウェイ・テクノロジーズを渡り歩き、２０１３年からはインドの通信会社リライアンス・ジオの上級副社長を務めていた。

リライアンス・ジオは、当時、世界の携帯業界の中でとても注目を集めていた会社。タレックはそこから楽天モバイルに加わってくれた。楽天が世界に先駆けて、次世代ネットワーク技術として導入した「完全仮想化クラウドネイティブモバイルネットワーク」の構築を牽引しているのが、タレックだ。仮想化ネットワークは、無線アクセスを全てソフトウェアだけで動かす僕らの通信事業の要となる技術であり、その構築には彼の存在が不可欠だった。

世界の携帯業界にとって〝キーパーソン〟でもあったタレックが、楽天グループに来てくれたのは２０１８年のことだ。彼に初めて会ったのは、バルセロナで開催される世界最大の携帯関係の見本市「モバイル・ワールド・コングレス」。その後、改めて話す機会を持ち、しばらく雑談を交わした後、「もしよければうちに来ない？」と聞くと、二つ返事で「行くよ」と言ってくれたのが、印象的だった。とても気軽なやり取りで、僕からすれば「ほんとに来ちゃうの？　マジで？」と思ったくらいだ。

日本で仮想化ネットワークを構築し、通信事業に革新をもたらしていく仕事は、彼のようなエンジニアにとって壮大な実験であり、もっと言えば大きなプレイグラウンド（遊び場）のように感じられたのだろう。

「できるわけがない」

さて、僕がタレックの入社の経緯を書いたのは、彼のような人材が楽天になぜすんなりと来てくれたのか、その大きな背景の一つに、２０１０年に打ち出した社内での英語公用語化があったと考えているからだ。

当時、僕が朝会で全社員に向けて英語の公用語化を発表した時、社内からも社外からも批判や、「できるわけがない」という声が上がった。

親しい知人がこう言って心配していたのを覚えている。

「国際部の社員だけというなら分かるけれど、楽天には40代で地方の営業をしているような人たちも大勢います。彼らには英語は関係ないじゃないですか。そうした人たちが辞めてしまったら、戦力が本当に落ちてしまうのではないですか」

その意見も一理あるだろう。しかし、たとえ強引な形であっても、英語の社内公用語化はいま進めなければならない、という思いが僕にはあった。この時点では携帯事業への参入はまだ考えていなかったけれど、エンジニアの数が日本には圧倒的に足りないという「未来」への危機感を強く感じ始めていたからだ。

例えば、金融業界ではこんな数字を聞いたことがある。あるメガバンクのシステム関連人材は正社員だけで見るとわずか3パーセント程度に過ぎない。対してＪＰモルガンは約55パーセントがエンジニアだというのだ。世界の金融機関はいまやＩＴ企業になっている現実に、日本の銀行は明らかについていけていない。

いずれＡＩの技術がもっと発展すれば、銀行業務の多くは「人がやった方が不正確」な時代がやってくるだろう。その時、企業の価値を支えてくれるのはエンジニアだ。

では、そうした現実が加速する中で、どうすれば十分な技術者を確保できるのか。それは、海外のエンジニアをいかに集められるか、にかかっている。だからこそ、社内公用語をグローバル言語である英語に統一することは、楽天グループの将来にとっても必要不可欠だろうという認識があったのだ。

インド工科大のエンジニア

もう一つ、楽天のエンジニアたちと接していて痛感していたのは、僕が思うよりも日本の理系人材の英語力がずっと低かったことだ。エンジニアは多かれ少なかれ英語ができると思っていた僕には、これは少し想定外だった。話を聞いてみると理由は単純で、海外の大学では工学部や理学部のテキストは英語が当たり前だが、日本では翻訳したものを使用していることが多いらしい。

もちろん、英語ができなくても、グーグルに就職できるエンジニアはいるだろう。けれど、英語がグローバル社会での共通言語である以上、彼らがその先、会社の中で重い立場を担うことは難しい。だから、親しい知人に指摘された「辞めてしまう社員も多いかもしれない」という懸念に対しては、僕はこう答えた。

「たとえ辞めていったとしても、その社員たちには英語を勉強したという経験が残る。それは、その人のためにはプラスに働くはずだ」

結果的に、そうした覚悟をもって導入した英語の社内公用語化なくして、楽天の通信事業への参入もあり得なかったと確信している。

現在、楽天モバイルの技術者は約90パーセントが外国人で、ＣＴＯもインド人。２０２１年は、ＭＩＴ以上に優秀と言われるインド工科大学から１５０名超のエンジニアを採用した。社内公用語が英語になったことで、日本人だけでなく、英語が堪能な世界中の人材が楽天グループの採用に応募してくれている。タレックという重要人物がすんなり入社してくれたのも、こうした英語公用語化の取り組みが背景にあったからだ。

ただ、誤算だったこともある。僕らの試みに追随する日本企業がほとんどなかったことだ。90年代に三菱商事の社長だった故・槙原稔さんが、英語の社内公用語化をしようとしたことがあったが、反発が大きく、断念したという。今でも、多くの日本企業では英語が苦手な世代が管理職に揃っている。トップがよほどの覚悟を持たない限り、英語の社内公用語化は実現し得ないだろう。

33 英語が苦手なベテラン社員は……

グローバル企業は、どんな企業も英語で話す――2010年、楽天グループの社内公用語を英語にすると決めた狙いはこの一点に尽きた。人口減少が進む日本の企業が今後生き残っていくには、世界進出が不可欠。英語公用語化とは「楽天は本気でグローバル企業になる」というメッセージでもあった。

アップルのiPhoneを見れば分かる通り、世界のイノベーションは、様々な技術を組み合わせて新たな価値や市場を作ることへと置き換わっていった。生き残るためにはグローバルなコミュニケーション能力が必須であり、英語力はその土台。日本の成長が止まったのは、国家レベルで英語力を鍛えようとしなかった姿勢と決して無関係ではないと思う。

英語公用語化には当時、多くの賛否両論が寄せられた。「日本人同士で英語を話しても無意味だ」「一部の英語が必要な部署だけでいいのではないか」といった批判も耳にしたし、呆れたのは、「日本語を捨てるつもりか」とか「日本文化を蔑ろにするな」といった声すらあったことだ。

企業の公用語を英語に変えることが日本語や日本文化を蔑《ないがし》ろにするという意味が分から

ない。英語はあくまでグローバルビジネスを展開するための手段であり、英語が世界のビジネスの公用語になっているのだから、それを全員が使えるようにするのがビジネス戦略として正しいというだけの単純な話である。

英語力は日本語能力を低下させないし、日本の魅力を世界に伝える重要な手段でもあるはずだ。

だが一方で、こうした声が根強く残っているところに、日本の英語教育の病理があるとも感じる。

誰でも1000時間で

僕自身が学校で受けた教育を思い返してみても、日本での授業は子どもたちを「英語でのコミュニケーション」から遠ざけようとしているかのようだった。英語をきちんと話せない教師、動詞の時制やbe動詞の変化にこだわり、英訳や日本語訳をひたすら子どもたちに課す手法……。おかしなルールもたくさんあった。日本人が英語を自由に話せるようになると、既得権益を奪われる人々がいて、彼らが「言語鎖国」のような政策を継続しているのでないか、と訝《いぶか》りたい気持ちにもなるほどだ。

では、楽天での英語公用語化プロジェクトはどのように進めていったのか。

まずは、移行期間を2年間と定めた。インド人や中国人の社員を見ていると、およそ3カ月間で仕事に必要なレベルの日本語を習得していた。そこで言語の習得は、必死にやれば誰もが1000時間で可能だという仮説を立てたわけだ。英語に触れる時間を少なくとも1日に1時間、普段は2時間作り出してもらえば、2年で1000時間を超える。ちなみに小学校から大学まで平均的な日本人は約2000時間もの英語教育を受けている。それなのに、多くの人が全く英語を話せないというのなら、いかに学校での英語教育が時間を無駄に使っているか、よく分かるだろう。

そして、定例の会議を順次、英語化していき、最終的にはTOEICのスコアを昇格の条件に加えた。こうした大枠を設定し、会社から様々なサポートを行えば、英語の公用語化は十分に可能だと踏んだのだ。

実際どうだったのか。想定外だったのは、英語の習得が難しいかもしれないと思っていた40代、50代のベテラン社員が若手以上に早く目標の点数に到達したことだ。彼らも必死だったのだろう。語学の習得に年齢は決して関係ないということを証明した結果となった。

さらに想定外なことがあった。仕事量が減ったにもかかわらず、営業成績がむしろ上がったのだ。午前中は業務として英語の学習時間にすることも認める仕組みにしたのだが、逆に時間の使い方にメリハリが出て、午後の業務がそれぞれの部署で合理化されたようだった。

教室から排除すべき教師

もちろん中には英語に苦しむ社員もいた。何しろTOEIC200点台の社員が大勢いた。ただ、彼らに僕がよく言っていた言葉がある。

「間違ってもいいから、とにかくコミュニケーションを取ろう」

語学は「話す」→「聞く」→「読む」→「書く」の順番でやるに限る。最初は間違いだらけの英語でいい。「手を挙げて意見を言おうとする」ことを目指し、文法などお構いなしに話すことが大切だ。

最初は尻込みしていた社員もいたけれど、次第に日常会話に英語が飛び交うようになっていった。今では、当時英語が非常に苦手だった社員も、当たり前のように喋っている。

学校の授業でも、最初は会話だけをやればいいと思う。ただ、そのためには「本当に英語を話せる教師」の存在が不可欠。よって、英語教師には外国人を登用していくか、TOEFLやTOEICを活用した高い基準を設け、教室から「英語をきちんと話せない英語教師」を排除していく必要があるだろう。

２０１３年、第二次安倍政権の産業競争力会議のメンバーになった時も、英語教育の改革が議題になったことがあった。当時、僕が提案したのは、カリキュラムなどプロセスを変えるのはハードルが高いから、まずゴールから変えていこう、ということ。文科省の役人から様々な抵抗もあったけれど、侃々諤々《かんかんがくがく》の議論の末、大学入試にＴＯＥＩＣや英検などの民間試験を活用していくことが決まった。その後、大学入学共通テストでは導入が延期される事態となっているが、民間試験活用の動きはもっと加速していくべきだと思う。

本当に意味のある、つまり、使える英語教育に国家レベルで取り組むことは、今からでも遅くはない。

日本のすべての子ども達が、普通に英語をストレスなく使えるようになったら、ビジネスだけではなく、外交、文化、観光、様々な面で日本がさらに強くなれるだろう。実践的な英語教育を掲げる国の姿勢は、日本の「未来」の方向性を指し示す力強いメッセージにもなるはずだ。

34　父との対話で学んだ「教養」の意義

僕の父・三木谷良一は経済学者だった。29歳の時にフルブライト奨学金を受けてハーバード大学に留学し、オックスフォード大学でも学んだ後、日本では神戸大学で長く教鞭を執った人だ。

その父は２０１３年にがんでこの世を去った。それからもう9年ほどが経つけれど、今でも実家には大量の蔵書が捨てずに置かれている。父は本を読むだけでなく、毎日のように日記も書いていた。その日記をふと読み返してみると、僕の幼い頃の話なんかも時々出てくる。亡き父の言葉に触れていると、何とも言えずしんみりとした気持ちになるものだ。

長男、長女、次男の僕という3人の子どもの中で、父は僕の教育に関してはとりわけ放任主義だったように思う。何しろ兄と姉はとても勉強ができたので、２人が盾になって僕はずいぶん自由にさせてもらった。実際、父から「勉強をしろ」といった類のことを言われた記憶がない。

一方で、子どもの頃も大人になってからも、自らの専門分野である経済に関して色々な話をしてくれた。もちろん、相手は経済学の教授だから、僕には学者のようなアカデミックな議論はできない。ただ、その中で父が噛んで含めるように教えてくれた経済学の基本は、今でも自分の中に染みつくように残っている。

「この学問は大きく分けると三つしかないんだよ」

父はよくそう言っていた。

マルクス経済学とマクロ経済学、ミクロ経済学の三つだ。その中でも父の専門は、マクロ経済学の「均衡論」だった。均衡論とは、簡単に言えば、経済における需要と供給は必ず均衡していくというケインズ経済学の理論。それに対して、「創造的破壊が企業を成長させる」と言ったのが、先にも触れたジョセフ・シュンペーターだった。

経済学の知識だけでなく

父は生前、従来の均衡論に異を唱えたシュンペーターを高く評価していた。「イノベーションこそが経済をドライブさせる」という彼の理論は、後に楽天を創業する僕の基本的な考え方にもなっている。

けれど、僕がそんな父親との対話の中から学んだのは、単に経済学の知識ではない。むしろ「教養」というものが世の中の動きを見る上でいかに大切か、ということだった。

「イノベーションが経済をドライブさせるというけれど、それも長い目で見れば均衡するんじゃないの？」

僕からのそんな質問にも、父は丁寧に質問の意味を読み解きながら、議論の方向性を示そうとしてくれた。経済学の理論を基に説明するだけではなく、政治や法律、文化、さらには宗教も含めた人間の歴史を踏まえながら説明する——それが、父が大切にしていた姿勢だった。

確かに、僕らの生きている社会は非常に複雑である一方、様々な出来事が同じパターンで繰り返されている。世の中がどのように動いているのか、あるいは過去に起きたどのような事柄が現在を生み、それが「未来」にどう繫がっているのか。単に経済学の理論だけを机の上で学んでいては見えないことも多い。

そうした大きな流れを自分なりにイメージしていくためには、ある一つの分野への専門性に依らない「フレームワーク」が必要だ。その「フレームワーク」を作るために不可欠なのが、「教養」なのだ。僕はそのことを、父との対話を通じて教わってきたような気がする。

実際、自分の内側に「フレームワーク」がきちんと作られていると、物事に対する感度のようなものが高まっていく。

例えば、僕は、岸田政権が掲げた成長戦略「デジタル田園都市国家構想」に当初は否定的だった。その後、かなり進歩的に修正されたように思う。ただ、国が地方のデジタル化に膨大な予算を使って介入するという発想を聞いて、すぐに様々な疑問が頭に浮かんできた。「それを過去にやって成功した国はあるのか」「社会主義はなぜ失敗したのか」「それによってアントレプレナーシップがどう刺激され得るのか」——。

新型コロナウイルスの流行に対して、経営者としてどのように対応していくかを考える際も、それは同じだった。

ウイルスが蔓延した後の世界はどう変わるのか。この大きな問いに対して、二度の世界大戦や蒸気機関の発明といった過去の歴史的な出来事を対比させる。その時、人間の行動や社会がどう変化したかを考え、共通点は何か、異なるファクターはどのようなものか、と思考を深めていく。そうやって「ウイルスが流行した社会の未来」をイメージしていった。結果、ワクチンが欠かせないと結論付け、職域接種を加速させたし、逆に今では経済活動を再び活性化させるべき時だと考えている。

多様なメディアの記事を

ただ、こうした自分なりの「フレームワーク」を持つことの重要性は、何も経営者に限った話ではない。ブロックチェーン技術やＡＩの発達したビジネスの世界では、どんな現場であっても「未来」を予測する思考が何より重みを持ってくるからだ。

だから、楽天グループの社員にも僕は繰り返しこう言っている。

「多様なメディアの記事を読み、経済、政治、社会、文化、科学の情報に幅広く触れること」

携帯事業の社員がスマホのことばかり考えても限界がある。世の中の様々な動きに触れ、時には歴史にも遡ってみることで、ユーザーのニーズをつかむことができるし、世間をあっと驚かせる商品を生み出すことができる。お国柄に寄り添った商品を開発することもできるだろう。

英語の社内公用語化にしても同じことだ。日本だけではなく世界の情報にアクセスできることが、個々の「フレームワーク」を培う上で大きな武器になっていく。

残念ながら、かつての旧制高校時代とは異なり、最近の学校教育は目先の実学重視でリベラルアーツを軽視しているような印象が強い。しかしビジネスの現場にこそ、教養は生きてくるもの。教養あってのビジネス、そしてイノベーションなのだ。

35　アメリカ全土を旅した夏の記憶

猛暑が続いたかと思えば、雨が続いた2022年の7月。学生時代は炎天下、テニスに明け暮れる毎日だったけれど、夏と言えば、ふいに思い出すことがある。大学教授だった父・良一が客員教授としてイェール大学にいた頃、家族でアメリカ全土を旅した時の記憶だ。

アメリカの大学は夏休みが3カ月ほどある。そのうちの2カ月間、父は古い車に僕ら子どもたちを乗せて、色んなところに連れて行ってくれた。エアコンもついていない車で、時には砂漠の上を走り、水に濡らしたタオルを車内でぐるぐると回しながら、何とか涼を取るような旅だった。今でも断片的な風景の一つ一つが「まるで映画の1シーンみたいだったな」と胸に甦ってくる。

父は僕らをよくキャンプにも連れて行ってくれた。グランドキャニオンの近くに夜中に着き、トランクに積んでいたテントを家族みんなで張る。朝、目覚めて外に出ると、あまりにも雄大な風景が広がっていて、「なんだ、このでっかい場所は」と驚いたことをよく覚えている。

そうしてアメリカ全土を旅する中で、現地ならではのエンターテインメントのダイナミックさに触れたこともあった。テキサスにあるＮＡＳＡの宇宙センターとアストロドームに行った時のことだ。

ＭＬＢのヒューストン・アストロズの本拠地アストロドームは、１９６５年に作られた世界で初めてのドーム球場。日本初のドーム球場である東京ドームの開業は23年後の１９８８年だから、子どもだった当時の僕にとってはものすごく未来的で、ワクワクしたのを覚えている。

ダイナミックなエンタメ

ＮＡＳＡの宇宙センターを見学した後、「今晩はアストロドームに野球を観に行くぞ」と父が言う。ところが、泊まっていたモーテルのテレビを付けると、その行く予定だった同じスタジアムではバイクレースをやっている。

「あれ、今日の夜にここで野球を観るんじゃなかったっけ？」

そう不思議に思っていたら、夜までの間にバイクレースのダートコースは全て撤収され、完璧に野球のスタジアムに変わっていた。これには、子どもながらに驚いた。エンターテインメントにおけるダイナミックさやスピード感に、「すごい世界があるんだな」と度肝を抜かれた。それは、僕の原体験の一つになっている気がする。

それから父がよく立ち寄って見せてくれたのは、アメリカの各地の大学だ。息子たちに大学のキャンパスの雰囲気を見せたかったのだろう。しかし、僕が兄貴とあまりにもケンカをするものだから、「ケンカが終わるまでそこにいなさい」と言われて、2人だけで3時間ぐらいノースカロライナ大学に置きっぱなしにされたこともあった。

他にも、政治の中心地であるワシントンDCでは、スミソニアン博物館で戦闘機を見たり、ワシントン記念塔やリンカーン記念堂に立ち寄ったりもした。どれも、幼い僕にとっては、「オールド・グッド・アメリカ」を感じる体験だった。

こうしてあの夏の記憶を振り返ってみると、アメリカ大陸を2カ月間にわたって旅することで父が僕らに伝えたかったのは、「広い視点を持ってほしい」ということだったのではないかと感じている。

その後、「あの旅をもう一度追体験してみたい」と思い、銀行員としてハーバード大学にMBA留学をしていた時にもう一度旅に出たことがある。

同じように夏休みが3カ月間あったので、トヨタのカムリに乗って、およそ15年ぶりにアメリカ一周の旅に出た。一泊8ドルくらいのエアコンが猛烈な音を立てているモーテルに泊まったり、キャンプ場を見つけたらキャンプをしてみたり。まだ車にはカーナビもない時代だったから、地図を見ながら「ここを右」「ここは真っすぐかな」と目的地を目指す旅は楽しかった。

そういえば、あの頃はガソリンも安かった。1ガロン98セント。アメリカを一周しても燃料代は3万円から4万円程度だったと思う。今では信じられない。

ここのところ、カリフォルニアのガソリン価格は1ガロン8ドル。日本円では1リッター200円を優に超えていることになる。二十数年間で8倍になった計算だ。ロシアによる戦争も大きく影響しているだろうけど、それだけでなく、複合的なファクターが原油高に繋がっていると思う。

再び自由に海外旅行を

仕事でも勉強でも、日常の中にどっぷりと浸かっていると、自分たちの生きている世界がどうしても狭くなってしまうもの。半径何メートルという小さな世界に留まって生きることは最も楽なはずだ。けれど、そこに安住していては、人間は決して成長できない。僕も殻に閉じこもりそうになるたびに、アメリカの雄大な自然を思い出してきた。そうした世界観は、後に日本興業銀行に就職した時も、楽天を仲間とともに起業してからも、自分自身の核としてずっと胸に残り続けている。

今、世界はより複雑に繋がりあっている。だからこそ、多角的な視点や世界観を身につけることが非常に重要だ。その意味でも、コロナが収束して、また日本の多くの人が海外に自由に旅行することができるような環境に戻って欲しい。一番重要なのは、とにかく自分の目で見る、体験することだからだ。

そして多角的な視点を持つ人が多くいればいるほど、日本は成長するし強くなれるに違いない。

僕にとっても、あの時のアメリカの旅が自分の価値観を変えた。ただ、残念ながら最近は、それほど長期の休暇を取ったことがない。カリフォルニアで仕事をしていた頃、グランドキャニオンやイエローストーンでキャンプをしたことはあるけれど、せいぜい２、３日程度だった。

できれば、そろそろ長期の休みを取り、久しぶりにゆっくりと車で旅して回ってみたいと思っている。

7

楽天イーグルスとヴィッセル神戸

36 ヴィッセルの選手たちへのメッセージ

２０２２年5月23日の月曜日の朝、僕はヴィッセル神戸の練習場「いぶきの森球技場」へ向かう車の中で、これからどんな「言葉」を選手たちに語るべきだろうかと、彼らの待つ控室に行くまでの間、考え続け、自問自答していた。

チームの今シーズンの成績はその時点でリーグ最下位。サポーターの皆さんからも多くの厳しいメッセージを受け取っていた。楽天グループのビジネスが大きくなっていくなか、僕自身がヴィッセル神戸の会長として居続ける状況が、果たして良いことなのか。けれど、クラブに対する思い入れも深く、ここで逃げるように退任するのは自分らしくない――様々な気持ちが胸の裡では混ざりあっていた。

何を話すべきか、それでも、控室に集まってもらった選手たちの顔を見た時、自然と「言葉」が込み上げてきた。それは、僕が、楽天をゼロから創業した時の、いわば原点の想いに近かったかもしれない。

彼らには「1分間、自分のサッカー人生を振り返ってみて欲しい」と問いかけた。

クラブが厳しい状況の時、なぜそうしたメッセージを発したのか。今回は、その意味について綴ってみたい。

僕がヴィッセル神戸にここまで強いこだわりを持つようになった原点は、阪神・淡路大震災が起こった時に神戸の街を歩き回ったことだと思う。僕も親族や友人を亡くした。その時多くの方々の辛い顔を見たことが今でも忘れられない。

神戸で多くの人が集まり心から笑顔で楽しめる温かいチームを作りたい――たぶんそれが、僕の初心の中にある気がする。

カズも瞬間湯沸かし器で

2004年にヴィッセル神戸の営業権を譲り受けた当時、クラブは約16億円の負債を抱えていた。僕が個人資金を出さなければ倒産してしまう寸前だった。

クラブハウスの施設は全く整っておらず、練習グラウンドもたった一面だけだった。なかでも驚いたのは、クラブハウスのプレハブの中に入った時のことだ。あの「カズ」こと三浦知良選手が瞬間湯沸かし器を使ってシャワーを浴びていたのだ。若い選手を養成するユース組織も実質的には機能していなかった。「これが本当にプロのクラブチームなのだろうか……」と愕然としたことを覚えている。

一から始めようと思った。震災の復興の時と同じように、設備を整えるだけではなく温かいチームをどうやったら作れるのかといつも考えていた。楽天がスポンサーをしていたスペインのＦＣバルセロナは、「Ｍｏｒｅ Ｔｈａｎ ａ Ｃｌｕｂ」（クラブ以上の存在）という理念を掲げている。そこにはクラブとはスタッフ、選手、そして、サポーターたちにとっての「家」であるという意味が含まれている。そんな考えも取り入れながら、手塩にかけて育ててきたのがヴィッセル神戸だった。

２０１５年にはクラブを楽天の子会社にした上で経営基盤を強化した。世界を回って、17年には元ドイツ代表のＦＷポドルスキ、翌18年には、元スペイン代表ＭＦのイニエスタらを獲得。彼らがフィットした20年には、クラブ史上初タイトルの天皇杯を手にすることができた。そして、２０２１年はリーグ戦も過去最高の３位で終え、クラブは順調に成長を遂げていると思ったのだが……。

勝負の世界はそう甘くはないということだろう。でも、僕は成績の振るわない時、悪い状況の時にこそ、選手たちに自らのサッカー人生を振り返り、原点を見つめてほしいと思った。

——誰もが最初は「ゼロ」からの出発だったと思う。サッカーが大好きだという気持ちを原動力に、過酷な競争を勝ち抜いてきたはずだ。一生懸命に練習をして、怪我や辛いことを乗り越えてきたのだと思う。

その想いを振り返った上で、なぜいま、自分たちがサッカーをしているのか。様々な出会いやそれぞれの経験を思い出し、もう一度、なぜやりたいのか？　を考え新たな気持ちで試合に臨んで欲しい。辛い時には、原点を見つめると、大事なことが見えるはずだ。「次の試合がある」ということではなく、「この一戦にすべてをかける」という思いでやって欲しい——。

僕は選手たちの前で、そんな想いを語りながら、同時に自分が楽天をゼロから創業した時の原点を思い出していた。

1パーセントの違いが

結果的に、その次の試合では残念ながら得点できなかったが、2試合目には4対1と勝利した。まだまだ克服しなければならない課題は残っている。主力選手が怪我をしている影響も大きいだろう。けれど、話したことでお互い確かに何かが変わったと感じている。

組織では、トップの「言葉」が非常に重要な瞬間がある。それが全員に伝わった時、個人では出せないエクストラ（特別）なパワーが出るからだ。特にプロスポーツの世界では、全員が高度な技術を持つがゆえに、それぞれの1パーセントの違いが大きな差となって結果に表れる。プロが集まるチームには、だからこそ、精神的支柱となるリーダーが必要になってくる。

世界を見渡せば、ロシアによるウクライナへの侵攻が続き、日本でも2年前から続くコロナ禍が人々の生活に影響を及ぼしている。そうした中にあって、スポーツが社会を勇気づける大きな力を発揮しているのは確かだ。

今後の使命は、クラブの「もう1パーセント」の力を引き出せる仕組みをしっかりと作ること、そしてチームを通じてファンの方々、ひいては世の中の人々を元気にしていくことだと考えている。僕も引き続き、努力していきたい。

ただ、こうしてクラブを経営して痛感したことがある。日本のスポーツビジネスの世界は欧米に大きな遅れを取っているということだ。

37　NPBもJリーグも外国人枠撤廃を

日本は「失われた30年」と言われて久しい。それは、スポーツの世界でも同じだと言えるだろう。

例えば、20～30年前はMLBもNPBも一球団当たりの売上高は似たようなレベルだった。ところが、MLBでは、この20年間で売上高が5～6倍に増えたと聞く。一方、NPBはと言えば、僅か10パーセント程度の増加に留まっている。

この差がどこから生まれてしまったのか。もちろん、経済全体の成長率が違うというバックグラウンドも大きい。けれど、それ以上に僕が問題視したいのは、リーグとして「ビジネス」に取り組もうという姿勢が、日本ではあまりに希薄だということだ。NPBでは楽天イーグルス、Jリーグではヴィッセル神戸を運営し、スポーツビジネスに携わる中でそのことを痛感している。

この問題を考える時、真っ先に頭に浮かぶのは、アメリカンフットボールのリーグ、NFLだ。

NFLは世界で最も成功しているプロスポーツリーグだが、その人気を下支えしているのが、リーグ全体の発展を意識した分配制度の確立だと思う。例えば、NFLでは、各試合のチケット収入の40パーセントがリーグの売上となり、全チームに分配される仕組みがある。

これが、Jリーグの場合はどうか。ヴィッセル神戸のイニエスタは世界的なスター選手だ。神戸のスタジアムはもちろん、アウェイでの試合であっても、彼を見るために大勢のファンが詰めかける。ところが、たとえ相手チームのスタジアムを満員にしても、ヴィッセル側には一銭も入らない。これでは、何十億円という資金を投じて、海外のトップ選手をクラブに招くというインセンティブが働きにくいのではないか。

決定権がないオーナー会議

もちろん、プロスポーツのリーグ戦では、各チームは勝敗を争うライバルだろう。けれど、ＮＦＬのオーナーたちと話していると、彼らの認識は日本のそれとはかなり違う。

「俺たちは試合の上では確かにライバルだよ。でも、ビジネスにおいてはパートナーなんだ」

そんな雰囲気をひしひしと感じるのだ。その背景には、かつてカンザスシティ・チーフスというチームが圧倒的な強さを誇ったことがあるらしい。彼らの試合ばかりに大勢の観客が詰めかける中、オーナーが「これではリーグの発展に繋がらない」と分配の仕組みを作ったという。

現在はずいぶん変わってきたとはいえ、ＮＰＢの場合は、長くジャイアンツが人気球団としてリーグを牽引してきた。ただ、分配の意識が強かったようには見えない。もう少し早い段階から、各球団がリーグ全体の底上げを図るような動きをしていれば、ＮＰＢを取り巻く景色も変わっていたのだろう。

ただ、オーナーが何かを改革するということは簡単ではない。残念ながらＮＰＢのオーナー会議には決定権が事実上、存在しないからだ。オーナー会議はあくまでＮＰＢの理事会に諮問される機関で、理事会が全てを決めている。

最近印象的だったのは、コロナで入場者数が制限されてどの球団も経営が厳しくなった時のやり取りだ。オーナー会議では「選手たちの年俸を抑えることは、各球団の裁量で交渉することにしましょう」と合意を見た。ところが理事会は、「選手会に団体交渉権を認めることは受け入れられない」という。ストライキ問題の際に「選手会は団体交渉権を有している」とした決定が出ているにもかかわらず、理事会は頑なで、僕らは折れざるを得なかった。一事が万事この調子で、杓子定規なＮＰＢに疑問を覚えることは多い。

外国人枠の撤廃についても、そうだ。いま、ＭＬＢの試合が毎日のように報じられるのは、多くの日本人が大谷翔平選手の活躍を見たいからだろう。楽天イーグルスにも、台湾出身の宋家豪や王彦程という投手がいる。彼らの存在もあって、実は楽天は台湾で人気がある。もし韓国や中国、オーストラリアやニュージーランド……色んな国の選手がNPBにいて大谷選手のように活躍すれば、その国では、もっと日本のプロ野球が人気を得るはずだ。

クラブあっての代表

ところが、2022年シーズンの外国人枠は投手・野手を合わせて計5人（全員を投手または野手で埋めることはできない）に制限されていた。多くの国の選手を集め、スターティングメンバーに並べることは不可能だ。

Jリーグでもヴィッセル神戸が世界中で知られているのは、イニエスタを筆頭にトップスターが所属してきたことも大きい。彼らの存在で、リーグそのものの知名度が上がったとも自負している。Jリーグでは外国人枠は少しずつ増え、最大で5人が同時に出場できる仕組みだ。それでも外国人枠を撤廃すれば、少なく見積もっても1・5～2倍はマザーマーケットを拡大できると思う。

なぜ、Jリーグは外国人枠を撤廃しようとしないのか。リーグ全体の発展より、日本代表が優先されていることが背景の一つだろう。例えば、ヴィッセル神戸が低迷している要因の一つに、主力が代表戦で怪我を重ねたことがある。ところがクラブへの補償は薄い。サッカーの先進国・ヨーロッパは違う。代表戦で怪我をした場合、各国の協会からクラブに手厚い補償金が出る例があるという。あくまでクラブあっての代表なのだ。

クラブが発展していかないと、日本代表の強化も覚束《おぼつか》ないと思う。特にチーム数の多いJリーグなどは真剣にサステナビリティを考えないと、リーグとしての「未来」にはかなりの困難が待ち受けているだろう。

今後はインターネット技術のさらなる発達で、ファンや視聴者同士のリアルタイムでの交流や、撮影アングルの変化など「スポーツを観る」体験も大きく進化していくだろう。情報の流れが格段に変わり、スポーツというコンテンツの価値はますますグローバルに広がっていくはずだ。

だからこそ、僕は世界を意識したチーム運営に努めたい。そして、NPBにもJリーグにも同じ「未来」への視点を持ってもらいたいのだ。

38　NFLオーナーに教わった球団運営のコツ

２０１３年11月３日、東北楽天ゴールデンイーグルスの仙台の本拠地で日本シリーズの最終戦が行われた日のことだ。それまでの戦績は３勝３敗。日本一をかけた読売ジャイアンツとの試合を、僕はスタジアムの「管理人室」で観ていた。

普段は秘書やスタッフが近くにいたりみんなで観戦することもあるけれど、この日ばかりは一人で静かにじっくりと試合を観たかった。

「今日はここで一人にして欲しい」

周囲のスタッフにそう言って、僕は机と3、４脚の椅子があるだけの管理人室に残って、モニターに映し出される試合に見入っていた。

最終回、３点リードで迎えた９回表。当時の星野仙一監督がリリーフに出したのは、第６戦で９回まで投げ切っていた田中将大投手だ。会場に湧き上がる歓声が管理人室にも響き渡ってくるようだった。

球団設立当初は最下位が続き、Ａクラスに入ったのは２００９年の一度だけ。２０１１年には東日本大震災も経験した。苦しい時代も長かった。個人的な話をすれば、ちょうど父・三木谷良一が末期がんで入院していた時期でもあり、胸には様々な思いが去来していた。

だから、田中投手が最後のバッターを三振に抑えて日本一が決まった時は感無量だった。

僕はグラウンド際に出て、近くにきてくれた星野監督や選手たちと一緒に喜びを分かち合った。悲願の日本一――今でもその瞬間は鮮明に覚えている。

「奥さんにはバーを」

僕らが東北楽天ゴールデンイーグルスを設立したのは、球界再編問題に揺れていた2004年のことだった。

その頃、日本の大企業には、プロ野球に参入しようという経営者がほとんどいなかった。巨人や阪神といった一部の人気チームを除いて、プロ野球にはビジネス的な「旨味」が希薄で、なかには「火中の栗を拾うようなものだ」という声もあった。

一方でアメリカに目を向ければ、90年代のストライキで人気が一時低迷していたMLBは凄まじい勢いで売り上げを伸ばし、ビッグビジネスになっていた。

楽天という企業の知名度を上げると同時に、アントレプレナー（実業家）として、NPBで球団を持つことがビジネスとして成立すると証明したい、そうすれば野球そのものの魅力をもっともっと広げていくことができるはずだ——そんな思いもあって、プロ野球界に参入することに決めた。

球団を運営することになった時、軸となったのが、本拠地の仙台に自分たちの天然芝の球場を持ち、そこをボールパーク化するという構想だった。球場を野球観戦の場だけではなく、食事やアトラクションも楽しめる総合エンターテインメント施設にするのだ。

当時、参考にしたのがアメリカのプロスポーツの戦略だった。その頃、最も仲が良かったのが、ＮＦＬの強豪ニューイングランド・ペイトリオッツのオーナー、ロバート・クラフトだ。初めてのことに挑む時は、信頼できる相手に何でも素朴な質問を投げかけるのがいい。

「結局のところ、ビジネスとしてはどこで儲けているの？」

そう聞くと、かなり詳しくスタジアム経営について教えてくれた。例えば、ＮＦＬのスタジアムの中には、オシャレなバーやレストランがあちこちにある。

彼らは言った。

「ＮＦＬのファンは圧倒的に男性が多いだろう。夫婦で観戦にきている場合、試合の間、奥さんたちは意外とつまらない思いをしているものなんだ。だからオシャレなバーやレストランなどを用意していて、そこで彼女たちは試合中に食事をしたり、お酒を飲んでいる」

また、こんなアドバイスももらった。

「価格の高い席と安い席は近づけちゃダメだ。スペースが無駄になるとは考えず、あえて空間を作れ」

飛行機のビジネスクラスとエコノミークラスの関係と同じで、1万円の席と2万円の席の間は10メートルくらい離した方がいい、というわけだ。そうすることで、プレミアムシートの価値は上がっていくし、例えば、特別な日はそうしたシートで観戦したいというファンも増えていく。

そして、こんなことも教えてくれた。

「球場の規模は『常に満員』になる大きさを狙ったほうがいい」

確かに、ファンだって閑古鳥が鳴く球場より、観客で埋まったスタジアムだからこそチケットが欲しくなる。ただ、仙台は大きな都市だけれど、東京や大阪、名古屋のように何百万人、何千万人の人口がいるわけではない。その仙台に見合った球場を作るということも、念頭に置いていたことの一つだ。

ビッグビジネスを目指せ

こうした経営努力を重ねていくことで、楽天野球団は「黒字」も達成してきた。その後、僕らと同じＩＴ企業の球界参入があったほか、それぞれの球団でも様々な創意工夫をされているようだ。２００４年と比べて、今では球団を持ちたいという企業はずっと多い。アントレプレナーとして、プロ野球チームの経営がビジネスとして十分成立することを示すことができたのではないか、と思っている。

もちろん、これまで書いてきたように、日本のプロ野球界にはまだまだ課題も多い。「地元や国内のファンだけが盛り上がればいい」などと開き直るのではなく、ＮＰＢも常にＭＬＢに匹敵するような「ビッグビジネス」を目指し続けるべきだ。

日本のプロ野球はアメリカに次ぐレベルなのは間違いない。世界最高レベルのリーグとして、世界に向けてスポーツの力を見せられるポテンシャルをどう生かすか。ＭＬＢやＮＢＡ、ＮＦＬのようにしっかりとビジネスモデルを構築していけば、選手、ファン、チームの全てに恩恵をもたらすエコシステムを作り上げていくことができるはずだ。

39　星野監督、野村監督に学ぶリーダー論

２０２２年5月24日、アメリカ南部テキサス州の小学校で児童ら21人が亡くなる凄惨な銃乱射事件が起きた。ＮＢＡゴールデンステート・ウォリアーズのスティーブ・カーヘッドコーチはこの日、試合前のインタビューでこんな言葉を口にしていた。

「今日はバスケットの話はしない。そんな話はどうでもいいんだ」

ゴールデンステート・ウォリアーズは今シーズン、ＮＢＡファイナルで優勝したチーム。ただ、３年前は最下位だった。そこからチームを復活させたスティーブの発言は、スポーツの枠を超えてアメリカ全土に伝播する力を持っていた。アメリカにおいて人気プロスポーツチームのリーダーが、社会におけるインフルエンサーとして存在感を持っていることを改めて見せつけられた思いがある。

そんな影響力を持つリーダーは日本にもいた。ここでは、僕が球団経営の中で出会った「名将」たちのことを綴ってみたい。彼らもまた、カーヘッドコーチのように、スポーツの世界のみならず、ビジネスや社会にまで大きなインパクトを与えるような人たちだった。

中でも特筆すべきは、野村克也監督と星野仙一監督である。

幼い頃から一日の大半を練習に費やしてきた野球選手は、野球以外の世界をきちんと学ぶ機会がどうしても少なくなるものだ。だけど、お二人はそうした「野球だけの人」ではなかった。

野村さんから教わった哲学

２００６年からチームを率いてくれた野村さんは阪神タイガースの監督を退いた後は一度プロ野球の世界から離れ、社会人野球の監督などを務めていた。

「ノムさんのボヤキ」と色々言われたりもしたけれど、それでも、野村さんは僕に対して「そうした経験の全てが役にたっているんだよ」と言っていた。

「われ以外は、みな師なり」

僕が彼から教わった最も好きな言葉であり哲学だ。野村さんは4年間チームを率いて、最後の２００９年は球団創設以来初のＡクラス、２位に導いてくれた。野村さんが楽天というチームの礎を築いてくれたと思っている。

その野村さんからバトンを引き継ぐような形で、２０１１年のシーズンから指揮を執ってくれたのが、星野さんだ。

大胆に怒りを露わにするシーンがマスメディアでよく伝えられたせいか、星野さんには精神論の人というイメージを持つ読者も多いかもしれない。だけど、様々な分野への深い見識、勉強熱心な姿勢――実際に会って話をしてみた彼は鋭敏な経営者のような感覚を持っていた。

阪神タイガースを優勝に導いたこともあって、とりわけ関西の経営者たちは、星野監督と話すとたちまちその人柄のファンになっていた。物事に対する哲学があり、色々と勉強しておられてトークも面白い。どんな経営者とも対等にビジネスの話をしていたという記憶がある。

星野さんとの想い出で印象に残っているのが、田中将大投手が2013年のオフにMLBへの移籍を決める際のエピソードだ。

当時のポスティング制度では田中投手の移籍金は150億円とも言われていた。ところが、その年から導入された新しいポスティング制度では移籍金には2000万ドル（約20億円）という上限が設けられた。

これは楽天に対してだけではなく、今後すべての日本の球団に課せられる。僕が反対したのは、日本のプロ野球は決して大リーグの言いなりになってはならないという視点からだった。

球団オーナーのビジネス的な判断としても、到底、ウンと言える話ではない。何より、その年のマー君の成績は24勝0敗。彼がアメリカに渡ってしまえば、翌2014年のチームの成績が下がる可能性も高かった（実際に翌シーズンは最下位だった）。

その時、「田中をどうかアメリカに行かせてやって欲しい」と僕を説得したのが、星野さんだ。

星野さんがそう言うなら

星野さんとは、日本シリーズ後に何度も話をした。その中で、彼はプロ野球チームの「オーナー」という立場についても深く理解してくれていた。球団を持つ時に大きなリスクを取って本拠地に仙台を選んだこと、新規参入して球団経営を持続させることの難しさ――そうしたことも全部含めたうえで、それでも「田中を行かせてやって欲しい」と。

いま思えば、ほとんど「浪花節」の世界だったけれど、いつの間にか僕は星野監督の強い想いに胸を打たれていた。

「星野さんがそう言うなら、仕方ない。快くメジャーに送り出そう」

そんなふうに納得させる言葉の力を星野さんは持っていた。

嬉しいことに、バリバリのメジャーリーガーになった田中投手は2021年、東日本大震災から10年という節目の年に楽天に復帰してくれた。もしかしたら仁義を重んじる彼は、メジャー移籍の経緯もあって戻ってきてくれたのかもしれない。

たかがスポーツ、されどスポーツだ。野村さんと星野さんの組織をまとめる姿、そして時には人の心を大きく動かす姿には、多くのことを学ばせてもらったと感じている。

その意味で、現在の楽天イーグルスの石井一久監督も、経営的なセンスを感じるリーダーだ。

ＭＬＢでの経験もあるし、頭の回転が速い。「この選手を幾らでもいいから獲得してください」「そのためにはこの選手との契約は見送りましょう」というドライな判断も厭わない。その一方で、熱いハートも持っていて、選手たちの人望も厚い。

話題の日本ハムの新庄剛志監督もかなり面白いと思う。色んなチャレンジもしているし、その分失敗もあるのだろう。でも、そうした失敗の中で得られることがきっと多くあるはずだ。

スポーツ界のリーダーたちの力を信じて応援している。今後も球界全体が大いに盛り上がることを期待したい。

40　なぜバルサの選手に謝罪を求めたのか

ショックだった――。

サッカーのスペイン1部リーグ・FCバルセロナから、リオネル・メッシが退団した時のことだ。バルサはご存じの通り、楽天がオフィシャルグローバルスポンサーとして契約していたチーム。バルサはリーグの財務規約に抵触するため、契約を締結できなかった。残念だけど、彼には「ありがとう」と言いたい。

そのバルサを巡って、伝えたいことがある。2021年7月の初め、二人の選手がホテル内で、日本人に対する差別的な言動をとっている動画がネットで拡散された。問題となった動画は2019年、ヴィッセル神戸との親善試合のために彼らが来日した時に日本で撮影されたものだった。

試合は楽天が主催したものだったし、僕もショックを受け、ツイッターですぐに抗議の意を示した。

〈バルサの哲学に賛同し当クラブのスポンサーをしてきただけにこのような発言は、どのような環境下でも許されるものではなく、クラブに対して正式に抗議すると共に見解を求めていきます〉

日本興業銀行を辞めてアメリカに行った時、日本人だという理由でバカにされた経験は僕にもある。その意味でも、これは自分の素直な気持ちをそのまま綴ったものだ。だけど、それだけじゃない。バルサというチームの在り方に大きく関わってくる問題でもある。

バルサのユニフォームの胸にＲａｋｕｔｅｎのロゴが記されるようになったのは、４年前の２０１７年から。もともとバルサのユニフォームには、胸にスポンサーのロゴは入っていなかった。そこからユニセフ、カタール・ファンデーション、カタール・エアウェイズと変わって、Ｒａｋｕｔｅｎになった経緯がある。数あるスポーツやチームの中でこのチームを選んだのには、明確な理由があった。

More Than a Clubの理念

例えば、スペインのトップチームのレアル・マドリード。レアルとはスペイン語で「キングの」という意味だ。僕らからすれば、アマゾンのようなイメージ、と言えばいいだろうか。対してフットボール・クラブ・バルセロナは、その名の通り市民のためのクラブだ。

彼らは「Ｍｏｒｅ Ｔｈａｎ ａ Ｃｌｕｂ（クラブ以上の存在）」という美しい理念を掲げている。そして、スポンサーを選ぶ際なども約15万人のサポーターからなる「ソシオ」と呼ばれる組織で民主的な選挙を行う。そこで支持されたという事実が、楽天にとっては非常に大きな意味を持つ。

楽天はソニーでもトヨタでもサムスンでもない。自分たちが「もの」を製造・販売するのではなく、街にある中小の小売店をITの技術によって支え、ウィンウィンの関係性を築き、彼らの可能性を広げていくこと——それが創業時からの経営理念だ。だからこそ、民主主義的な価値観を持つバルサのスポンサーに選ばれることは、世界における企業のクレディビリティ（信頼性）の向上に、ピッタリだという思いがあった。

バルサとの契約は1年に5500万ユーロ（約71億円）だったが、ビジネスの視点からこの金額について考えても、十分なメリットがあると僕は判断した。

レアルとバルサの試合は「エル・クラシコ」（伝統の一戦）と呼ばれ、全世界で6億5千万人以上が視聴すると言われる。アメリカのスーパーボウルでも1億人くらいだから、世界的な人気が分かるだろう。さらに言えば、CMの放映権が30秒で約6億円ということを踏まえても、このスポンサー料は決して高くはない。

実際にバルサとのパートナーシップを進展させて以来、楽天グループの国際的なプレゼンスが上がったと感じている。世界の消費者への認知の向上はもちろんだが、バルセロナで毎年開かれる世界最大のモバイル製品の見本市「モバイル・ワールド・コングレス」なんかに行くと、その影響力の大きさを実感する。もとより、このイベントに集まる10万人以上の来場客の熱気は言葉にできないほどだけど、地元チームであるバルサのユニフォームや写真を出す僕らのブースには、その中でも本当に驚くほど大きな注目が集まった。

それから、最近ではアメリカでもサッカーは人気があって、シリコンバレーの経営者の中にもバルサのファンがいたりする。例えば、彼らと「メッシはどう？」「一緒に試合を見に行こうよ」と会話が弾んで、そこからビジネスの話が始まったことも一度や二度ではない。バルサとのパートナーシップはＢｔｏＣだけではなく、ＢｔｏＢのビジネスにもいろんなプラスの影響を与えていて、副次的なインパクトを含めるとそのリターンには計り知れないものがある。

経営者こそ発言すべき

それだけに、バルサが掲げる理念や、これまでのバルサと楽天の関係性を振り返った時、今回の差別的な言動は、本当にショックで残念なことだった。

僕がツイッターでの抗議に込めたメッセージは、「きちんと謝罪をすべきだ」。それ以上でも以下でもない。だから、当事者の一人である選手から「直接話したい」と別の中心選手を通じて連絡があった際も、こう返事をした。

「僕に謝ってもらいたいわけではない。パブリックなステートメントを出すか、ホテルやその相手に直接謝罪をすべきなのではないか」

ＦＣバルセロナというチームは、民主的なクラブであるということに大きな価値がある。個人的にも当事者の選手たちのことはよく知っているけど、決して悪いヤツらじゃない。だからこそ、その素晴らしい価値観に見合った正しい対応をしてほしいと思う。

そして、いまや世界中でダイバーシティの重要性が説かれる時代。企業の経営者がこうした問題についても、しっかりと発言するのも当たり前のことだ。日本の社会だと「黙っているほうが得」みたいな風潮があるけれど、世界を相手にそういう考え方はもう通用しない。特に僕らのようなＩＴ企業の未来は、多様性に溢れる従業員たちの力によって支えられているのだから。

8

ITで
通貨もテレビも消えていく

41 なぜケニアで電子マネーが普及したのか

2016年頃、家族でアフリカのケニアを旅行する機会があった。僕にとっては久々のオフだったのだけれど、現地である一つの光景を目の当たりにした時、休暇だったことを忘れて起業家としての関心が刺激された。

それは、ケニアの少し観光地化されている田舎を訪れた際のこと。そこは土で作られた家が並ぶような小さな村だったが、人々が当然のようにスマートフォンを使っていた様子にまずは目を惹かれた。そして続けて驚いたのは、ちょっとした土産物を買おうとした時、僕が現金でお金を払おうとすると、「M-PESAでもいいよ」と店の人から言われたことだった。

M-PESA（エムペサ）とは、ケニアの通信会社サファリコムなどが提供するモバイル決済サービスだ。携帯端末さえ持っていれば、銀行口座を作る必要はない。SMS（ショートメッセージサービス）によるやり取りだけで送金や預金の引き出し、支払いがどこにいてもできる。給料や公共料金の支払いにも使われており、現在ではケニアにおける重要な金融インフラとなっている。

アフリカでモバイル決済のサービスが盛んなことは、かねてから僕も聞いていた。でも、旅先で見た、実際に現地の小さな村の人々がそれを活用している光景には、やはり衝撃を受けるものがあったのだ。

その頃の日本のキャッシュレス決済と言えば、ＥｄｙやＳｕｉｃａといったカードが真っ先にイメージされるものだった。

一方、ケニアではＳＭＳ上で「いま、あなたの電話番号に50Ｍ－ＰＥＳＡを送ったよ！」といった気軽さで、電子マネーによる取引が一般化している――。僕が強く惹きつけられたのは、その光景には通貨というものを巡る様々なテーマが込められているように感じたからだ。

女性の働き方の多様化

例えば、非常に考えさせられたのは、ケニアにおいてＭ－ＰＥＳＡが普及した背景である。単に「便利だから」というだけの理由であれば、どんな場所でもとっくに現物の通貨というものは必要なくなっているだろう。

でも、実際は違う。日本ではまだまだお札や小銭を使っている人が多い。では、なぜケニアで急速にモバイル決済が普及したのか。

まず理由の一つには、欧米や日本とは異なり、新興国では印刷された紙幣に対する信用力が低い。それゆえ、電子マネーの価値が高いということがあげられる。

現金というものには、実は高いハンドリングコスト（取り扱いにかかる費用）がかかっている。支払いのたびに紙幣とコインの数を計算しなければならず、治安の悪い場所では注意しなければお釣りをごまかす者もいるだろう。さらには銀行に行ってお金を引き出せば、スリや強盗に遭う可能性も考えなければならない。額が大きくなるほど、それを所持する人の安全を守るためのコストも増えていく。

もう一つ、僕が「なるほど」と思ったのは、M－PESAの普及がケニアの社会にもたらした変化の一つに、雇用の創出、特に女性の働き方の多様化があったという事実だ。

それまでのケニアでは、女性が一人で店先に立って商売をすることには、常に強盗などの犯罪に巻き込まれるリスクがあった。そんな中で、2007年になって始まったのがM－PESAのサービスだった。それは当初、携帯電話のSMSを使った原始的な電子通貨に過ぎなかったが、普及が進むにつれ、多くの女性たちがユーザーになってモバイル決済を利用した商売を始めたという。

M－PESAを使いたいユーザーは自らのアカウントを作り、通貨をあらかじめデポジットしておけば、あとは自由にSMSを通じて電子マネーの「送受信」ができる。取引の際は本人確認が必要なので、お金を強盗に奪われるリスクも消えた。このような安全性が確保されたことで、女性の働き口が増え、新たな雇用も広がっていったのだ。

ケニアでM－PESAが人々の間に普及しているのを見た時、僕は「現金がなくなるという未来」は、もうすぐそこまで来ているのだという思いを抱いた。個人間のお金のやり取りがトラッキング（追跡）できるから、市場での取引の透明性が増すというメリットもある。

「貨幣」の本質とは

そもそも楽天を創業する以前から、僕は「通貨」というものがいずれは全て電子マネーになる、という確信を持ち続けてきた。

楽天がIT企業でありながら金融業にいち早く参入したのも、当初から楽天ポイントを導入したのも、その確信が背景にあったからだった。今ではスマホ決済、電子マネー、クレジットカード、ポイント、銀行、暗号資産取引……と幅広く展開している金融事業は、楽天グループの「エコシステム」において、さらなる重要な位置づけになっていくだろう。

当時はもちろんビットコインは存在していなかったし、クリプトカレンシー（暗号資産）には技術的に様々な細かい問題があったのも確かだ。しかし、そうした問題は時代の大きな流れの中では些細なものに過ぎないと思う。なぜなら、「貨幣とは何か」という本質を考えた時、それが紙幣や硬貨である必要などどこにもないからだ。

貨幣の機能とは供給量の安定、価値の担保、そして、貯蔵と交換ができるという点にある。つまり、紙幣や硬貨という「形状」は貨幣の条件ではない。つまり、きちんとした技術的なバックグラウンドがあれば、全てデジタルに置き換えられるのは自明のことなのである。

そして、その変革の核となるのが、「フィンテック」に欠かせないブロックチェーンの技術だ。次項ではこのブロックチェーンの技術によって、通貨や金融の世界にどのような地殻変動が起きていくか——僕の想像する「未来」のイメージを描いていきたい。

42　ブロックチェーン技術の「破壊力」

ブロックチェーンとは、一般的に「『分散台帳』を可能にする技術」と説明される。これは、どういうことか。

インターネット上における取引履歴の全てを、ブロックチェーンによって現在から過去にわたって正確に記録する――。言い換えれば、あるデータが〈AからBに渡り、さらにCからD、Eへと渡され、現在はFが所有している〉といった「取引履歴＝ブロック」が、まるでチェーンのように繋がる形で記録される、ということだ。この技術によってデータは改竄や偽造から守られ、インターネット上で共有されることでその信用が担保される。

このブロックチェーン技術の「破壊力」は、これまでの「認証」や「承認」という概念を覆してしまうところにある。

僕らの生きるこれまでの社会では、取引のデータの信用性は、多くの場合、特定の機関によって認証されていた。お金にせよ、様々な証書にせよ、「1対1」の取引が成立したかどうかは、誰かによって承認される必要があったからだ。例えば、公証役場なんかはそのためにあり、こうした機関が「これは正しい書類である」と認定して初めて、正しい取引として認められる仕組みだ。

でも、ブロックチェーンの技術を使うことで、そうした承認の「胴元」のような機関は必要なくなる。ブロックチェーンが僕らにもたらすのは、先に触れたように、ネットワークのコミュニティがデータの「正しさ」を保証する「自律分散型」の世界であるからだ。

国家権力の一部を奪い取る

ビットコインが通貨として成り立つのも、その「価値」と「現在の所有者」がネット上のコミュニティ全体によって承認されるからにほかならない。これは暗号資産のみならず、あらゆるネット上のドキュメント（記録）においても同様だ。

例えば、ここに固有の番号の振られた一枚のベースボールカードがあるとする。所有者は僕だ。カードはデジカメで撮影することもできるし、コピー機で印刷することもできる。それでもカードが僕のモノであるという権利を証明してくれるのは、記されている番号ということになる。その権利をAさんに譲るときは、僕は対価を受け取って番号の付いたカードを渡せばよい。

ブロックチェーン技術はこれと同じやり取りを、ネット上のデータでも行えるようにするわけだ。

ブロックチェーン上で発行される「偽造できない所有証明書付データ」はＮＦＴと呼ば

れる。NFTは「電子ファイルの所有権」を示す証明になる。「1対1」の取引による権利の移譲がネットワーク上で管理できるため、公的機関のような第三者が取引を承認する必要はもはやない。いわば、それは国家が独占的に持っていた権力の一部を、インターネットの世界が奪い取るほどの意味を持つ技術であると言えるのだ。

では、ブロックチェーン技術の登場によって、いま世界では何が起ころうとしているのだろうか。

例えば、中国では世界に先駆けて暗号法などの様々な法律を定めており、ドイツでも「ブロックチェーン国家戦略」が発表されるなど、ブロックチェーンに対する積極的な取り組みが進められている。彼らはこの技術の何に注目しているのか。

その大きな影響の一つが、分散型の台帳管理が可能になることによって、金融での取引コストが飛躍的に下がることだ。しかもデータの分散化によって、リスクも減るという二重のメリットがある。

問われる銀行の存在意義

ブロックチェーンによって、取引コストが下がるのは当然だろう。これまでの取引なら、契約書を紙ベースで作って印紙を貼ったり、公的機関の承認を得たりしていた煩雑な作業が、すべてネット上で完結するからだ。トランザクション（複数の処理を一つの処理としてまとめたもの）による摩擦や人手がなくなれば、それだけ業務コストは下がる。

例えば、ＩＣＴ（情報通信技術）化が遅れてきたＢｔｏＢのコーポレート金融の世界でも、ブロックチェーンによって自律分散型の台帳管理が可能になると、圧倒的にコストが下がるに違いない。それこそ社債やソブリン債（政府や政府関係機関が発行する債券）といった債券の発行コストは、おそらく現在の三分の一程度には下がるのではないだろうか。

また、身近なところでは銀行の送金などもブロックチェーンベースで行えるようになれば、６００円～７００円という手数料が50円、さらには30円と下がっていくはずだ。

そうなると、当然、巨大銀行の送金を担う「全国銀行データ通信システム」というネットワークは必要なくなり、同時に、「銀行」というものの存在意義も改めて問われることになる。

それだけではない。分散型台帳によるコスト減、認証という仕組みの大改革を生み出すブロックチェーンは、「ＩＴインフラ」の意味合いそのものも変えていく。現在のＩＴインフラは、実際の物理的な社会インフラの上に乗っかる形で成り立っている。でも、ブロックチェーン技術によって、ＡＩや５Ｇなどは仮想インフラの価値を飛躍的に高め、その構造を逆転させる。これまで物理的な社会インフラを必要とした様々なことが、ＩＴインフラだけによって完結できるようになるからだ。

日本政府もよく口では「『金融立国』を目指している」と言っている。だけど、真の金融立国の実現には、ブロックチェーン技術を様々な形で生かしていくことが欠かせない。

その過程では、それこそ従来型の銀行に象徴される様々な既得権益が消滅を余儀なくされるだろう。しかし、その時に生じる摩擦を乗り越えなければ、間違いなく日本経済の衰退は進んでいく、と僕は思うのだ。

43 国家が暗号資産を発行する時代に

２０２１年初め、中国が「春節」での人の動きを抑制するために、帰郷ができない国民に様々な都市で「デジタル人民元」を配るというニュースが報じられた。例えば北京や深圳では、一人あたり２００元（約３２００円）のデジタル人民元を配ったのだ。

中国ではすでに、アリペイやウィーチャットペイというスマートフォン決済を多くの国民が利用しているが、デジタル人民元はそれらとは全く違う。これは、中国人民銀行が発行するクリプトカレンシー（暗号資産）だ。こうした国の中央銀行による暗号資産は、「ＣＢＤＣ（セントラル・バンク・デジタル・カレンシー）」と呼ばれる。

中国はデジタル人民元の正式導入に向けて動いているとされ、実際、２０２１年9月末にはビットコインのような民間の暗号資産の全面禁止を打ち出した。もちろん、ＣＢＤＣの発行には様々な意図があるだろう。もしかしたら、国内での取引データを掌握したいといった狙いもあるのかもしれない。デジタル人民元が国際社会に与える影響について考える必要もある。

それでも僕がこのニュースを聞いた時、真っ先に感じたのは、日本と中国の差だった。

カンボジアでも運用開始

日本でも2020年、一人10万円の「特別定額給付金」の支給方法が議論になっていたが、これを機に、例えば、政府が暗号資産を導入し、給付金を支給するような試みがなされてもよかったのではないだろうか。日本銀行がこのCBDCを発行できれば、（銀行口座との紐づけが進んでいないのが現実だが）マイナンバーカードを通じて「10万デジタル円」を送ることだって可能だったはずだ。当然ながら書類を書いたり、役所に行ったり、煩雑な手続きも必要なくなる。

今後、ブロックチェーンベースの暗号資産は、必ず紙幣や硬貨に代わる僕らの生活のインフラとなっていく。今回、もし多くの国民への「デジタル給付金」支給を実行できていれば、ブロックチェーンを活用した金融システムの構築を目指す上でも大きな経験になっていたと思う。残念ながら、日本の政治や行政からはこうした発想はなかなか生まれなかったわけだが……。

実は、CBDCを発行しようとしているのは中国だけではない。

カンボジアでは中央銀行が「バコン」という名のブロックチェーンベースのCBDCを作り、2019年から国内で試験的な運用が開始されてきた。それからわずか1年後には、銀行間決済の基幹システムとして正式運用の開始が発表されている。手数料が必要なく、スマートフォンを持っていれば誰でも利用できるそのシステムは今後、カンボジア国内で一気に広がっていくだろう。

欧米諸国に目を向けてみると、いち早くCBDCの試験運用を始めているのがスウェーデンだ。

同国の中央銀行も2020年、コンサルティング企業のアクセンチュアとタッグを組み、デジタル通貨「eクローナ」の実証実験を開始している。スウェーデンは世界的にも電子決済が進んでいる国で、現金での支払いを受け付けていないショップも多いという。

中国、カンボジア、スウェーデン。こうした世界各国の現状から浮かび上がるのは、「紙幣や硬貨のない世界」というものは、僕らの想像よりもずっと早く訪れるかもしれないということだ。

世界中でCBDCが発行されるようになれば、いくら〝現金信仰〟が強いからといって、日本人だけが紙幣や硬貨を持って両替するわけにはいかなくなるだろう。いずれ、野口英世の千円札を見て「おお、懐かしい」と感じたり、「一万円札を見たことがない」という子どもたちが当たり前になったり……。いま使われている現金は、街の様々な店で「一応、取り扱いもしている」程度の存在になっていくと思う。

そうなると、「リアルの銀行はそもそも必要なのか」という議論も加速していくはずだ。

CBDCのルール作り

暗号資産が一般の社会に広がっても、しばらくは中小企業や個人への貸付、住宅ローンの窓口などは、必要であり続けるかもしれない。それでも様々な取引が順次オンラインに切り替わっていくうちに、そうしたニーズも次第に消えていく。

ブロックチェーンによる分散型の金融システムは、金融取引のコストを大幅に下げ、ユーザーの利便性も向上させる。取引コストが下がれば金融市場への参加者は増え、最適なプライシング（価格設定）が実現される。市場は活性化するとともに、その安定性も増していくことになるだろう。

業態や社会的機能の大きな変化の中で、既得権益を失っていく従来の金融業界は大胆な改革が求められるに違いない。けれど、その変化に対応できれば、日本の金融業界にも「未来」はあるはずだ。

ビットコインが登場してから約10年が経ったいま、ブロックチェーン技術の広がりによって、世界の貨幣を巡る潮流は、間違いなく国家による暗号資産の発行へと向かっている。実際にG20でも、IMFや世界銀行などとともに、CBDCのルール作りをしていくことが発表され、その議論の中ではフェイスブックの「リブラ（のちにディエム）」といったステーブルコイン（法定通貨とペッグするなど、安定した価値を実現するように設計された暗号資産）

の規制にも言及がある。こうした現実をしっかり見据えなければいけない。

中央銀行が発行するＣＢＤＣが中国やカンボジアに限らず、世界各国に広がっていく時、一方で民間企業が発行するリブラなどのステーブルコインと「国家」の関係がどうなっていくのか。そして日本はこの世界的なＣＢＤＣの潮流に対して、どのように対峙していくのか。

まだまだ解決すべき課題はあるけれど、こうしたブロックチェーンの技術が生み出す「未来」は、もう当たり前のように僕らのすぐ傍にまで来ているのだ。

44 ネットフリックスが日本で生まれない理由

２００５年、楽天はＴＢＳの株式を買い進め、業務提携を提案したことがあった。当時、この提案は報道でも様々な報じられ方をしたものの、結果的にＴＢＳ側から大きな反発を受けて上手くいかなかった。

交渉の内実については今も言えないこともある。ただ、国からライセンスの割り当てを受けるテレビ局は、その既得権益が手厚く保護されている代表的な業界だ。そうした業界の内部からはスピード感のある変化は起こり得ない。よって、その時僕が繰り返し話していたのは、テレビがインターネットに繋がる時代がすぐそこに来ており、ＩＴ企業と放送局が組めばお互いに様々なメリットがある、という一点だった。

今でこそテレビとネットの融合は目の前にある現実だが、２０００年代の初め頃は、まだ多くの人がその「未来」に対して疑念を抱いていた。例えば、２００１年にアメリカではＣＮＮを有するタイムワーナー（現・ワーナーメディア）が、大手ネット企業ＡＯＬを買収している。新旧の大手メディア企業の統合は「世紀の大合併」と呼ばれた。ところが、同社は２年後には業績が振るわずに巨額の赤字を計上する。そのインテグレート（統合）が「失敗」に終わったことも、「インターネットメディアと既存メディアの融合はまやかしだ」という雰囲気を市場に生み出していた。

だけど、TBS側との交渉ではそうした本質的な議論が始まる様子もなく、単純に「若造に自分たちの庭を荒らされた」という感情だけが相手側にあったように思う。既得権益であるライセンス事業に新参者を入れたくない——それが彼らのむき出しの本音であり、その中でいくら「インターネットとテレビの融合」と言ってみても、話が通じないというのが当時を振り返っての僕の感想だ。

「未来志向」の金融市場

今では「電波事業がこのままでは衰退する」という危機感は、彼らの組織の内部でも大きくなっているはずだ。ただ、それでも既存のテレビ局がマスメディアの覇権をかろうじて握り続けていられるのは、コンテンツの制作力と資金力が彼らの側にまだあるからだろう。

そんな中で、その力関係や構造をひっくり返しつつある象徴的な存在がある。ネットフリックスだ。

創業者のリード・ヘイスティングスもまた、アメリカ社会が生んだユニークな経営者の一人である。彼が1997年に共同創業者の初代CEOマーク・ランドルフと最初に始めたのは、ＤＶＤを郵送レンタルする会社だった。そして2年後にはそれを定額制のレンタルサービスへと展開すると、事業は大成功を収め、２００７年にストリーミング配信サービスへと事業の転換を図っていく。

彼の発想のすごさは、ディズニーやマーベルなどからコンテンツを買うだけではなく、それらを制作する領域へ果敢に分け入っていったことだった。現在、同社はオリジナルコンテンツの制作費に１７０億ドル以上を投入すると公表しており、ＡＩを活用したデータ主義を徹底することで、より効率的に良質かつ視聴者の求める作品作りを続けている。

ネットフリックスのような企業がアメリカで登場するのは、エンターテインメントに対する考え方が大きく異なるからだけではない。日本のテレビ局のコンテンツ制作の力をってすれば、同じようなことはおそらく可能だと僕は思っている。

しかし、こうした企業や挑戦が世の中を変える力を持つためには、大量のリスクマネーがその業界に流れ込む「未来志向」の金融市場が不可欠だ。リードたちがコンテンツ制作に巨額の投資を行えるのも、「エクイティとはリスクマネーである」という考え方が、欧米の金融市場には常識として根付いているから。イーロン・マスクが何千億円という赤字を出してなお資金を集めるように、「50パーセントの確率で失敗しても、50倍になる可能性があるのだから構わない」という投資家たちの考え方が、彼らのビジネスを支えているわけだ。

TVは「大きなスマホ」に

翻って日本はどうか。エクイティ・ファイナンス（新株発行などによる資金調達）が未だ「デット・ファイナンス（借入）」のように捉えられ、「未来」のための大きな赤字は許容されない。特に大企業はそうで、それこそ日本のテレビ局がネットフリックスのような巨額投資を行って赤字を出せば、瞬く間に経営陣が責任を問われてしまうだろう。

さらに言えば、そうした中で日本のテレビをめぐるビジネスは、目先の既得権益を守るためにガラパゴス化が進んだという問題もあるように思う。例えば、海外で映像コンテンツのオンデマンドが広がりつつある時、日本では電機メーカーが「日本仕様」のテレビを作り続けていた。民放では一時期、スマートTVのCMが許されなかったくらいだ。

でも、そんなことが今の時代に続けられるわけがない。ハードウェアを〝日本スペック〟にして、いかに視聴者をインターネットに繋げさせないかを画策する——日本の「テレビ局」がそうやって目の前の既得権益を守ろうと必死になっているまさにその時、世界の環境は大きく変わっていたわけだ。

では、その変革を主導しているネットフリックスは、テレビというメディアの「未来」

をどのように捉えているのだろう。

それをイメージする最も大きなポイントが「テレビの端末化」だ。

アメリカでは既にそうなりつつあるが、今後、テレビは「大きなスマホ」になる。そこで個々人は自分の好きなように見たいコンテンツを自由に組み合わせ、そのコンテンツを中心にして、様々なコミュニティやネットショッピングなんかがぶら下がるような形になっていく。

ネットフリックスがなりふり構わずコンテンツ制作に巨額の投資を続ける理由もそこにある。テレビが大きなスマホになる時、「テレビ局」が生き残っていく道はコンテンツ会社に変わる以外にないからだ。

45 これが、テレビとネットの融合だ

僕はスポーツを観るのが好きだ。楽天グループがチームを持っている野球やサッカーでも、たくさんの観客が詰めかけているスタジアムに行くと、そこにはインターネットにはないものが確かにある、と感じる。

選手たちのプレーが生み出す臨場感、お客さんたちのエネルギーが混然一体となった雰囲気。「その場所にいるからこそ伝わってくる」というリアルなあの感覚は、やはり何物にも代え難い貴重な体験を与えてくれるものだ。

だけど、プロ野球だけでも1シーズンには143回の試合がある。どんなファンもすべての試合を現地で観られるわけではない。普通であれば、年に10試合くらいスタジアムに足を運べば多い方だろう。では、現場で感じるあの臨場感や雰囲気を、テレビというメディアでいつか再現できるようになるだろうか。あるいは、そこにはまた全く異なる「体験」が生み出されるのだろうか。

前項で、僕はテレビというものが近い将来、「大きなスマホ」になっていくと書いた。それはテレビとインターネットが本当の意味で融合していくということだ。

そのことの意味と可能性を知るためには、インターネットとテレビの違いを改めておさ

らいしておく必要がある。

これまでのテレビとは、コンポーネント映像信号（映像を構成する輝度信号、同期信号、色信号などをそれぞれ分解して扱えるようにした信号）を受け、それを変換して映像機器に映し出すという技術だった。対してインターネットは、こうした映像信号も他のデータも全て「同じ規格」で扱えるところに特徴がある。

「番組表」もなくなる

インターネットの革新性とは、テキストや音声、映像といったあらゆるデータを、TCP／IPという同一の通信プロトコルで扱える点にほかならない。「テレビが大きなスクリーンや巨大なタッチパネル、パソコンと同じものになる」というのは、IPプロトコルで流れてきたデータを映し出すディスプレイになる、という意味なのだ。

すると、新聞に載っているような「番組表」や「録画」という概念は必要なくなる。視聴者は観たい時に観たいものを視聴すればよく、リニアチャンネルは意味を失う。その中ではコンテンツ作りも「尺」から解放され、より自由な発想で行えるようになる。

インターネットとテレビの融合は、「テレビ番組」と今の僕らが呼んでいるコンテンツに、様々な要素を付け加えていくことを可能にする。ドラマでもスポーツでも優れたコンテンツを作り出しさえすれば、それを中心にファン同士のコミュニティやショッピングの情報・ECサイトなんかを組み合わせられるようになるからだ。

例えば、スポーツ競技をテレビでリアルタイムで観戦していると、同じ競技が好きな人や気の置けない仲間が画面上のコミュニティに自ずと集まってくる、というコミュニティのあり方がイメージしやすいだろう。

そのうちに議論が始まり、「そこでなんでストレートなんだ」「いや、ここは一度ボール球で様子を見るのがいい」とうんちくを語りながら、一緒にプレーをわいわいと楽しむ。そんな観戦方法が普通になっていくに違いない。

また、テレビの画面上では、好きな趣味や文化の世界が個々にカスタマイズされるだろう。一人でじっくり観戦したい人は、コミュニティの機能をオフにして、リアルタイムの試合中にもこれまでのプレーや過去の試合をアーカイブから別画面で表示させたり、ドキュメンタリーやチームにまつわるニュース、選手ごとの一球一球の各種データを検索・参照したりすることもできる。

僕は野球やサッカーの試合を観るのが好きだけど、楽天イーグルスやヴィッセル神戸が負けると悔しくてたまらない。そんな自分のようなタイプのファンの中には、「負けた試合は見ない。勝った試合だけをぜんぶ見たい」という極端なニーズだってあるはずだ。

テレビのもう一つの役割

それだけではない。通信速度の高速化が進めば、テレビの前でできることはさらに増えていく。

リアルタイムの動きとの「ズレ」が解消されることで、音楽のコンサートで全体を観るのと同時にピアノやヴァイオリンのソリストだけを常に映し出したり、好きなグループの特定のメンバーにフォーカスしたりする鑑賞も違和感なくできるようになるからだ。大きなスクリーンやVR（仮想現実）のような技術を組み合わせながら、「札幌、大阪、東京同時中継」といったライブでの観客の一体感を作り出す工夫も色々と考えられるだろう。

つまり、テレビというメディアはインターネットと融合することで、ビジネスとしても新しいエンターテインメントの形としても大きな可能性を秘めている。

そして、その可能性を活かすために必要なのが、全ての中心となる「良質なコンテンツ」なのだ。テレビ局の「未来」は――ネットフリックスやアマゾンがそうしているように――いかにコンテンツの制作力を磨き、投資を行っていくかにかかっている。

最後にもう一つ、テレビの「未来」について忘れてはならない視点を付け加えておきたい。

僕はここまで、ネットフリックスなどに代表されるビジネスモデルや、エンターテインメントのコンテンツという視点を中心に書いてきた。だけど同時に重要なのは、テレビが持つジャーナリズムの役割だ。

色々と言われているけど、テレビというメディアは、今後もマスの人々に対して変わらずに大きな影響力を保ち続けるはずだ。その中で、いかにその社会的な機能を新しいメディアの形態に適応させていくか。テレビとインターネットが融合し、メディアとしての形が大きく変わっていく時、ジャーナリズムもまた新たな「伝え方」を模索していく必要があるのではないだろうか。

9

医療と通信で「未来」を変える

46 父の闘病で出会った「医療」の世界

僕の父・三木谷良一は、2013年11月にすい臓がんで亡くなった。83歳だった。がんが見つかった時はすでにステージ4。2012年秋に医師から「あと3カ月」と伝えられた時は、「そんなバカな……」と途方に暮れたことを覚えている。

当時、父は「あと3年くらいは、生きたい」と思っていたようだ。僕は経済学者だった父からは多くのことを教わり、経営者になった後も、彼の存在に支えてもらってきたという思いがある。ただ、すい臓がんの治療はとても難しいと言われる。その後、できる限りの治療を模索したものの、様々な抗がん剤治療を受けた後、告知からおよそ1年後に亡くなった。

そんな父の闘病によって、僕がこれまでのキャリアの中で初めて出会ったのが、「医療」という分野だった。

ただ、父の病気が分かった時、僕には「医療」の世界に関する知識が全くと言っていいほどなかった。経済のことは学者だった父と議論するほどになっていても、がんについては詳しいことは何も知らず、それこそ「抗がん剤とは何か？」「放射線治療ってどういうもの？」というレベル。病気や治療のメカニズムもよく分かっておらず、基礎的な教科書を買い込んで読むところから勉強を始めた。

そうやって一通りの知識を身に付けつつ、とにもかくにも始めたことがあった。それは、「足」を使って世界中を回り、最先端のがん治療の情報に触れることだった。

そんなふうに「足」を使って動き回るのは、「新しいこと」に向き合う際、僕が大事にしている姿勢の一つだ。楽天グループを創業し、「インターネット」の世界に飛び込んだ時もそうだった。

世界中を飛び回った

ＥＣサイトの楽天市場を作る際、僕らはインターネットについて全くの〝素人〟だった。そんななか、基礎的なテキストを読んでシステムを作り、営業ではとにかく日本全国を這いつくばって回ってみる。何も手元には持ってはいなかったけれど、活動量と運動量だけは誰にも負けない。そんな思いを胸に経営を前に進めようと必死だった。

父の治療法を探した時も同じだった。楽天を創業した頃と同じように自分が強い意志を持って世界中を回った。スタンフォード大学、コロンビア大学、パリ大学など多くの大学を訪ねた。もちろん、楽天グループという企業の社長という立場にあったことも大きかったけれど、一生懸命にお願いすれば医療の専門家でも会っていただけるものだ。

また、色んなカンファレンスに参加すれば、様々な人たちと話ができる。「この治療法についてどう思うか」「その課題についてはどう考えているのか」。いまから振り返ると、父の治療法を探すために、僕は起業した時以上に必死だったようにも思う。

そうやって世界中をプライベートで回ったことが、僕と医療との出会いになったのだった。

父の治療法を探す旅の中で感じたことがある。結局のところ、何も知らなかった医療という分野もまた、決して「特別な世界ではない」ということだった。

通信、流通、金融、プロ野球やサッカー、そして医療——それぞれ要素は異なっていても、どの分野の事業においても僕は非常に強いアントレプレナーシップが必要だと感じている。

例えば、新薬の開発では、近年ＡＩ技術が活用され、基本構造のデザイン自体は短期間で可能なこともあるという。実際に新薬が患者に使われるまでには、高い安全性を担保するための丁寧な治験や手続きが必要なのは言うまでもないが、グローバルで展開する創薬企業の経営者は、決断も速いし、必要とあらば資金の投入も厭わない。

他の医療系ベンチャー企業のテクノロジーを利用するため、瞬く間に会社を買収して実用化へと突き進むこともある。そのなかで、データをいち早く集めながら、開発を進めていこうという姿勢にはアジリティ（機敏性）を感じる。

辿り着いたのは……

さらに言えば、そうした創薬の過程にＡＩが活用されていることを思えば、インターネット企業と医療は今後、より強く結びついていくことになるだろう。

さて、知らない世界に飛び込む時に必要なのは、先ほど触れたように、運動量とネットワークを活用していく力だ。

その時、意識すべきは「色眼鏡を外す」ということ。人は誰しもが自分の置かれた環境によって、それぞれが別の「色眼鏡」を通して世界を見ているもの。これは、楽天グループの社員の前でも常々語っているのだけれど、新しい分野に踏み出したり、一から何かを学んだりするときは、その色眼鏡を一度外して純粋に物事を見つめていく姿勢が何より大切だと思う。

父の治療法を探して世界中を回っている時も、がん治療開発の最前線には様々なものがあった。

父の主治医にも相談しながら、インターネットでがん治療の最前線の動向を調べ、日本、米国、フランスなどで研究を続けるがん治療の権威に会ってきた。けれど、なかなか「これは！」というものに出会えない。もちろん、騙されそうなことだってたくさん出てくる。失敗もする。でも、それらを実際に自分の目で見て、専門家から学び、説明を受け、考え続けなければ新しい道は切り拓くことはできない。

そして――。

父が病床で闘病を続けるなか、ある時、辿り着いたのが、ＮＩＨ（アメリカ国立衛生研究所）の主任研究員・小林久隆さん。彼が研究している「光免疫療法」と呼ばれる治療法だ。古くからのある知人から、「彼の話を聞いてみたらどうか」と紹介されたのだった。

47 インターネットと同じような衝撃

2013年に入った時期だっただろうか、がんを患った父・三木谷良一の治療法を探して、論文を読み漁ったり世界中の名医らに会ったりしていた頃、一本の電話が入った。

「お役に立てるかもしれません」

ワッフル・ケーキ専門店「R.L」(エール・エル)」を経営している新保哲也さんだった。「R.L」は楽天市場の創業時から出店してくれているお店。彼もまた、インターネットの黎明期に共にビジネスを拡大させようとした戦友のような存在で、父とも旧知の間柄だ。その新保さんの従弟がアメリカでがんの治療法を研究しているという。

その従弟の方こそ、アメリカ国立衛生研究所の小林久隆さんだった。いま振り返れば、〝人の縁〟というものの大事さを感じずにはいられない出会いだったと思う。

小林さんは、放射線診断や核医学などの専門家。その彼が研究していたのが、「光免疫療法」と呼ばれるこれまでにない新しいがんの治療法だ。僕が特に興味を抱いたのは、その治療法が当時のオバマ大統領が2012年の一般教書演説で言及されたということからだ。そして、それは2016年に同大統領が披露した「キャンサー・ムーンショット・プログラム」の一つに数えられることになった。

１９６０年代の「アポロ計画」の名前を借りたキャンサー・ムーンショット計画は、がん研究のスピードを5年間で倍の速度にするというプログラムで、当時のバイデン副大統領が中心になって策定されたと言われている。このプログラムには、まさに医療分野における「未来」、例えば最新の画像化技術や薬剤送達デバイスといった最先端技術への支援などが盛り込まれていた。

僕は、当時病状が芳しくない父の治療法を探すため、藁にもすがる思いで小林さんにアポイントをとった。

アイデアが極めてシンプル

初めてＮＩＨの研究室を訪れたのは、２０１３年4月のこと。小林さんは日本ではまだ無名の存在だった。ちなみに、彼がアメリカのＮＩＨで研究をしていたのは、日本の民主党政権時代の事業仕分けで国立大学の予算が削減されたことも背景にあったらしい。

そんな小林さんから光免疫療法の仕組みについて説明を受けた時、僕はこう感じた。

「これは行けるんじゃないか」

まるでインターネットに出会った時と同じような衝撃だった。

光免疫療法の仕組みは単純だった。がん細胞だけに結びつく特殊なたんぱく質（抗体）

と光に反応する色素からなる薬を患者に投与する。そこに特定の波長の光（レーザー光）を当てると、その色素が反応し、がん細胞だけがピンポイントで膨張して破裂する。しかも、レーザー光は一般的にテレビのリモコンなどに使われているものだから、人体に影響は少ない。

もちろん、専門的な話には理解が及ばない面もあった。けれど、そうやってピンポイントでがん細胞だけを壊死させるという手法が、従来の治療法とは全く異なるアプローチであることは十分に理解できた。

僕が「インターネットに出会った時と同じ衝撃」を受けたのは、この治療法のアイデアが極めてシンプルだったからだ。

インターネットの「革命性」とは、パケット通信やハイパーリンク（クリックするだけで別のページにジャンプできる機能）、クラウドサービスといった仕組みを、世界共通のプロトコル（コンピュータ間の通信手順を規定した約束事）によって成り立たせてしまうところにあった。世界中の情報を自由に検索でき、遠く離れた人とも自由に通信できる。その魅力が誰にでも理解できるシンプルで納得いくものだったからこそ、僕は自らの「未来」を賭けることができた。

小林さんが解説する光免疫療法の話も同じように感じられた。それまで世界中の名医からワクチン療法やウイルス療法、特殊な放射線治療など新しい治療法の説明を受けてきたけれど、それらとは一線を画す新しい考え方だった。光免疫療法は一言で表現すれば、「薬ががん細胞にくっついて、光を当てると、がん細胞の膜が破けて破裂します、以上」というものだ。

その「コロンブスの卵」のようなシンプルさに、アントレプレナーとしてのインスピレーションを刺激され、「確かに、そうすればがん細胞はなくなるよな」と極めて単純に思うことができたのだった。

治療薬のコードネーム

当然、この治療法は唯一無二のものではない。この先、もっと優れた治療法が出てくるかもしれない。ただ、僕の考え方の基本原則は「物事がブレイクスルーするとき、『要するに○○』とパッと言えるものには革命性がある」ということだ。

彼の研究は当時はまだ、安全性試験を行う以前の段階だった。実用化までにどれだけのお金が必要なのか、医療分野の門外漢だった僕には想像もつかなかった。それに、たとえこの治療法が本当に画期的なものだったとしても、父の治療には時間的に間に合いそうになかった。

それでも、僕は、そこで最初の治験を実施するため個人的な支援を決意した。この取り組みによっていつか多くの人が助かるかもしれない、という「未来」に賭けることにしたのだった。

父は2013年11月にこの世を去った。僕は小林さんの光免疫療法の開発への投資を続けた。

「企業の使命は人類への貢献」

父がよく口にしていた言葉だ。

この治療を進めることで、がんという病気が撲滅できるなら、多くの苦しむ患者や家族が救える。そのために戦いたいと思った。

父がきっかけで光免疫療法の治験にたどり着くことができた、と当時の経営陣から言ってもらった。この新しい治療に使われる薬には「RM－1929」というコードネームが付けられた。RMはリョウイチ・ミキタニ、そして1929は父が生まれた年だった。

48 全国の病院を自ら回って

２０２２年4月、春の気配が色濃くなってきた季節のことだ。

僕は車で九州のある都市の病院に向かっていた。楽天メディカルが実用化した「光免疫療法」について、医師とカンファレンスを行うためだった。

日本では普段、ほとんど自分で車の運転はしない。でも、その日はとても天気が良く、久しぶりにハンドルを握りたくなった。レンタカーを空港で借り、２時間ほどの道のりを秘書や担当者を乗せて運転していると昔の思い出が蘇ってきた。

25年前、ＥＣサイトの楽天市場を開設した時のことだ。プログラミングの教科書を見ながらシステムを一から構築し、出店してくれる人たちを見つけるために、創業メンバーと一緒に日本全国を駆け回った。

「今はまだインターネットショッピングはほとんど使われていないけれど、必ずこの世の中に普及する。より楽しいショッピングができるようになる。素晴らしい商品やサービスを日本中に提供しましょう」

そんなふうに懸命に事業への想いを伝えて歩き、一人ずつ出店者を増やしていく。それが、楽天グループの最初の一歩だった。

そして今は、楽天メディカルが取り組む光免疫療法を提供している日本全国の病院を回っている。あの当時、ネットの未来に懐疑的だった人々を説得して回った時の思い出が胸の裡《うち》で甦ってくる。

光に反応する物質を含む薬を投与し、がん細胞にレーザー光を当て、がんを破壊する光免疫療法。手術や放射線、化学療法、免疫療法に続く第5の治療法としての確立を目指しているが、その光免疫療法に用いる薬の臨床試験が、アメリカで始まったのは２０１５年のことだった。

「週刊文春」1万冊分

国内で治験が開始されたのは、その3年後の２０１８年。ただ、日本では新薬の承認に時間がかかると言われている。それでも２０１９年4月に「先駆け審査指定制度」の適用を受け、普通であれば少なくとも1年はかかる審査が半年ほどに短縮された。もちろん、その分、極めて厳密な安全性・有効性の証明が必要とされるのは言うまでもない。それこそ、審査機関に「週刊文春」1万冊分ぐらいの量の資料を出した。

結果、２０２０年9月、一部の頭頸部がんに対する光免疫療法に使用する最初の医薬品・医療機器の製造販売承認を取得することができた。２０２２年4月15日の時点で32都道府県・62施設で治療の提供が可能な状態だ。関西医科大学には「光免疫医学研究所」も設立された。

そして、この治療のさらなる発展に向け、神戸大学と国立がん研究センターでも研究環境が整いつつある。また、グローバルでの開発を加速させるため、米国ではMDアンダーソンがんセンターと提携している。

こうした過程の中でこの全く新しい治療法を医師の方々と一緒に育てていく必要があると考え、僕は、北海道から沖縄までこの治療を提供してくださる全ての病院を自ら回っている。

訪問先の病院では技術のコンセプトを医師たちに語り、率直な意見を伺ったり、課題について教えを受けたりしている。例えば、医療機器などは開発現場と臨床現場では、扱いやすさに違いがある。それらについて「僕はこう思っているのですが、どうでしょうか」と〝仮説〟を伝えてみたり、逆に「実はこういう症例も中にはあって……」と教えてもらったり。次第に実用化における改善点の方向性も見えてきている。

もちろん僕らのコンセプトに共感をしてもらっても、新しい治療法を必ず採用するかはまた別の問題だ。日々の議論の中で改めて重く受け止めたいのは、新しい治療法にどれだけ「可能性」を感じても、最優先すべきは患者さんの命だということ。安全性には慎重の上に慎重を重ねていく。その上で、医師の皆さんにはこの治療法を判断して頂きたい。

医療とネットがリンクする

ただ一方で、最近懸念していることが一つある。「光免疫療法」とインターネットで検索すると、〝光を当てたら全身のがんが消える〟といった科学的根拠の乏しい未承認の薬を使用した治療を提供するクリニックの名前が出てきてしまうのだ。藁にも縋《すが》る思いの患者さんが、楽天メディカルが取り組む光免疫療法と混同して、そこをクリックしてしまう危険性もある。検索サイト運営会社には「どうにかしてくれ」と話をしているところだが、命に直結しかねない問題だけに、きちんと対応してもらいたい。

いずれにしても、僕が確信しているのは、「医療」の分野と「インターネット」の分野は、今後さらに密接にリンクしていくということだ。

医療には「未病」と「治療」という大きな二つの枠組みがある。未病分野については様々なセンサーやウェアラブルの技術が役立つだろうし、「治療」については楽天メディカルを中心に粘り強く研究開発の支援をしていくことができると思う。

世の中のあらゆる技術、それこそ医療や薬に関する技術にしても、単に「新しい何か」を開発すれば社会に広がるわけではない。媒介として欠かせないのは、アントレプレナーの持つ「突破力」だ。多くの人に届けるためには、1を10に、10を100に、1000に変える力が必要だ。

僕は、光免疫療法の事業を成功させたい。なぜなら、研究の「資金」を継続的に確保できるようにして更なる開発を支えたいからだ。そして、その価値を世の中に広めるために、自らもやれることを粛々と続けるつもりだ。それが最終的には、一人でも多くの苦しんでいる患者さんを救うことになる。

今後も日本中、世界中の医療従事者や研究者たちとのコミュニケーションを重ね、医療分野でも賛同下さる方々と新しい未来を作っていきたい。それが、僕の考えるフィランソロピーの形である。

亡き父も、遠くからそれを見守ってくれているだろうと信じている。

49 「完全仮想化ネットワーク」とは何か

２０２２年は、携帯キャリアの通信障害が続いた。個人ユーザーの通信はもちろん、物流、交通機関や天気情報などにも影響が生じることもあり、楽天モバイルを展開する僕らとしては、社会に迷惑をかけないよう改めてインフラサービスを提供する重責を感じている。

一方で楽天モバイルが世界で初めて開発した「完全仮想化ネットワーク」というオープンな仕組みが、通信事業の方向性として正しいという思いも改めて確信した。

一部の銀行が繰り返してきたシステム障害と同様に、携帯キャリアは自身の持つ基地局のハードウェアをベンダーに外注している。だから、ベンダー起因の大きな障害が起きてしまった時、自社だけでは迅速な対応ができない。それが復旧の遅れや複雑さを招くことは想像に難くない。特に中国企業のハードウェアを利用していた場合、極論を言えば、中国政府がサーバーをダウンさせようと思えば、いつでも簡単にできてしまうわけだから、安全保障上の問題もあるだろう。

これに対し、楽天モバイルの「完全仮想化ネットワーク」は、自ら開発したオープンなクラウドソフトウェアによって、ネットワーク装置の機能をハードウェアから切り離し、ソフトウェアとしてシンプルに管理している。よって、4Gから5Gへの移行も簡単かつ安価にできる。

また、例えば顧客データベースとネットワークとの接続に障害が発生しても、高度な自動化により、ワンクリックするだけでシステムを障害対応モードに変更し、一部の装置を迂回させつつ、最低限の音声通話とデータ通信の使用を継続するような対応も可能だ。一部のハードウェアが停止した時も自動的に代替機に切り替わる冗長性があるため、障害に強いネットワークだと自負している。

タレックとの出会い

「完全仮想化ネットワーク」はいわば、クラウドコンピューティングで稼働する通信インフラだ。自動車を例にすれば、まず市販されている誰でも買える部品を組み合わせ、高性能なモーターを作る。すると、従来の車よりも効率的に良い製品ができた、という感じだろうか。

実際にスペースXなどは汎用的な部品を積み上げてロケットを作っているようだし、iPhoneも同じように「組み合わせ」によって作られた商品だ。専用のハードウェアではなく、汎用のハードウェアを使い、常にアップデートできるソフトウェアで差をつけるという発想である。

しかし、2014年から行っていた他社から回線を借りて展開する「格安スマホ事業」（MVNO）から脱し、いよいよ自社回線による携帯キャリア事業（MNO）に参入しようとしていた2017年頃のタイミングでは、この「完全仮想化ネットワーク」の構想はまだなかった。

きっかけは現在、楽天モバイルのCEOを務めるタレック・アミンとの出会いだ。前述したように、彼はインドの通信ネットワークを作り上げた経験を持つエンジニアで、当時、仮想化技術でモバイル通信ネットワークを構築するという全く新しいアイデアを抱いていた。その話を本人から聞いた僕は、携帯業界の「未来」を直感した。

「日本で実現してみないか」

ほどなくして彼を楽天グループに誘った。ただ、「完全仮想化ネットワーク」は今までの常識を覆す新しいアイデアだ。普通は怖くて手が出せない。

「ええ、本当に挑戦させてくれるんですか⁉」

彼はそんな表情を浮かべ、二つ返事で提案を受けてくれた。

世界初の技術にはもちろんリスクも伴う。一つの基地局に数百人が一度にアクセスし、そこで様々な動きをするユーザーの端末を管理しなければならない携帯ネットワークは当時、ソフトウェアでは不可能だと言われていた。アメリカのウィリアム・バー司法長官が「絵に描いた餅」と揶揄したこともある。常識としては、ハイパフォーマンスなハードウエアとソフトウェアの専用機が必要だという声が主流だった。

自分たちで運命を決める

その「常識」を覆すのが、「完全仮想化」の発想なのだ。そもそもパソコンのインターネットではＷｉ－Ｆｉのサービスを非常に安価な機器で実現できているのに、携帯電話で同じことができないわけがない。僕自身は、仮想化を手掛けるソフトウェア会社のトップに素朴な疑問をぶつけたり、理論を学んだり実際のデモンストレーションを見たりして、結果、やれると確信したのだ。

何より自社でネットワーク技術を開発すれば、ブラックボックスが生じる可能性もあるベンダーの技術に基地局を依存せず、自分たちのサービスの運命を自分たちで決められる——そこが気に入った。

携帯キャリアが自前のソフトウェアを開発するメリットは、いつでも自由にアップデートが可能だという点だ。つまり、僕らはソフトウェアを自社開発することで、走りながら作り、常に直してはサービスを向上させ、コストを下げていける可能性を手に入れた。他のシステムベンダーの技術に頼っては、そうした「日々の進化」を実現するのは、かなり難しい。そこが将来的には、大きな差別化と競争力に繋がると思った。

楽天モバイルは今、契約数が５００万規模になってきた。自社回線エリアの人口カバー率も97パーセントを突破して、日々進化を続けてはいるが、最終的には三つの目標がある。

一つ目は単体での黒字を達成し利益を上げること。二つ目は「楽天市場」を中心とした「楽天エコシステム」の錨となって、さまざまなサービスをより進化させること。三つ目はその要となるこの「完全仮想化ネットワーク」の技術と仕組み自体を世界に売り出すことだ。僕はこの日本発の技術が通信の「未来」を大きく変えると確信している。

50 iPhoneの衝撃

僕が「通信事業」への参入を考え始めたのは、いま思えばスマートフォンの登場を目の当たりにした時だった。アップルがｉＰｈｏｎｅを発表したのは２００７年1月。スティーブ・ジョブズによる伝説的な発表のプレゼンを見て、「ああ、これはすごいことがこれから起こり始めるんだ」と強い衝撃を受けた。

当時は現在と比べると、通信速度はまだまだ遅かった。それでも僕は、遡ればＮＴＴドコモの「ｉモード」の頃から「楽天市場でのショッピングもいずれはパソコン経由よりも、携帯電話が中心に行われていくようになる」という未来像をイメージはしていた。社内では「そんなわけはない」という声が多かったけれど、「楽天市場の購買の70パーセントは携帯経由になるはずだ」と言い続けていた（それから10年ほどが経ち、直近では、携帯経由での楽天市場の流通額比率は実に80パーセントを超えてきている）。

すべては携帯電話が中心となっていく。その確信を強めたのがｉＰｈｏｎｅの登場だ。ジョブズはこの製品を「携帯電話の再定義」と位置づけ、「ｉＰｏｄが携帯電話になり、さらにはインターネット・コミュニケーターにもなる」とｉＰｈｏｎｅがもたらす未来像を話していた。つまり、スマートフォンというアイデアは、ｉＰｏｄが単に電話やカメラにもなるというだけではないということ。ジョブズの言葉は、人々が常にインターネットに接続している時代の到来を予感させたのだ。

iPhone以後の世界

こうした携帯端末を人々が当たり前に持つようになれば、パソコンの前に座ってやるものだった楽天市場のようなＥＣでのショッピングも、電車の中などの移動中、ランチをしながら、さらにはトイレにいる時にだって簡単にできるようになる。たとえ端末自体がハイスペックでなくても、ネットワーク上のＡＩが様々なデータを処理することで、スマホは財布になり、ヘルスメーターになり、プレイステーションのようにゲームもできるようになる。将来的にはどんな安価な端末であっても、話しかければＡＩが答えてくれるようになる――。

ジョブズのパッション溢れるｉＰｈｏｎｅの発表を見ていたら、コンセプトを聞いただけで「これで世の中が変わるんだ」とワクワクする気持ちが止まらなかった。そこには、これまでとは全く異なる「未来」が現れるだろうと思わせる強い力があったのだ。

実際にｉＰｈｏｎｅの登場以後、世界は瞬く間に変わった。スマートフォンが凄まじいスピードで社会を変革させていった。楽天が展開していたＥＣのあり方はもちろん、カメラやビデオやテレビにもなって、メディアのあり方を変えていったのは誰しもが経験した事実だろう。

そんな中、この「変化」を支える通信事業のあり方も自ずと別の意味合いを持ち始めていく。携帯ネットワークが道路だとすると、その道路自体がインテリジェンスを得られるほどに技術が進歩してきた、と言えばいいだろうか。スマホの登場によって、通信インフラはいわば高速道路を凌駕する重要な社会インフラとなったわけだ。

携帯端末自体が通信インフラのインターフェースになっていくのであれば、これまでの携帯キャリアという枠を軽々飛び越えるような可能性が広がっていく。だからこそ、僕は社運をかけてこの業界に参入しようと決意した。

ただ、そこには様々なハードルもあった。通信事業が他の事業と大きく異なるのは、周波数帯域を国が企業に割り当てる「免許事業」だということ。よって2014年から参入した楽天モバイルは当初、格安スマホ事業（MVNO）という形で他社から回線を借りるしかなかった。その過程で痛感したのは、こうした重要な社会インフラにかかわる事業が一部の会社による寡占状態にあることだった。そこが変わらない限り、高い携帯料金を払わされる状況が続く。

「いい勝負ができる」

そうした状況の中で、僕らのような企業がチャレンジャーとして、携帯キャリア事業（MNO）に本格的に参入して競争を促し、携帯市場を「民主化」していくことは、この国の「未来」にとっても重要な意義がある――僕はそう強く思った。そのうちに世論でも、複雑な料金プランや通信事業の寡占状態を問題視し始め、参入の機運が高まっていく。そうしたタイミングで出会ったのが、「完全仮想化ネットワーク」というアイデアだったのだ。

独自のハードウェアに頼っていたネットワークをクラウド化し、ソフトウェアによって運営する。革新的な技術を活用して旧来の仕組みを一気に飛び越え、新しいサービスを提供する。そして消費者により良いものを提供していく。それが当時も今も変わらない携帯事業参入の方向性である。

僕らは、データ利用量に応じて料金が段階的に変わり、どれだけデータ通信を利用しても最大2980円というワンプランを採用した。それが「民主化」の考え方だと思ったからだ。

当然、携帯キャリア事業には巨額の資金が必要だ。楽天はそれまで基本的には「資産」を持たない会社だったが、基地局を全国に展開するとなると、楽天モバイルだけではなく、楽天グループとしてのあり方も大きく変わってくる。けれど、コスト構造が低く抑えられ、基地局の設置さえ上手く進めていくことができれば、楽天がこれまで培ってきた70を超えるサービルによる楽天エコシステムや、楽天ポイントを駆使した顧客獲得力が最後はものを言うはずだ。

「これならいい勝負ができるんじゃないか」

そう確信した2017年、僕はMVNOから自社で回線を持つ携帯キャリア事業への進出を決意した。

とはいえ、肝心要である基地局の設置は決して思うように進まなかった。楽天モバイルは苦難のスタートを切ることになる。

51 ドラマ『下町ロケット』の世界だった

２０１９年の秋のことだ。僕は、当時楽天市場事業の責任者で、楽天モバイルの基地局設置にも関わり始めていた矢澤俊介（その後、楽天モバイルに完全異動してもらい、現在は社長を務めている）と二人、新橋の喫茶店で顔を突き合わせていた。僕らは楽天モバイルの基地局設置を外注している代理店を視察し、その雰囲気に愕然とした直後だった。

代理店を訪れたのは、この頃、楽天モバイルの基地局の設置が思うように進んでいなかったからだ。遅れは深刻で、総務省からも計画修正を求める指導を受けていた。だが二子玉川の楽天モバイルでいくら危機感を抱いていても、その原因が分からなければ抜本的な対策が打てない。

そんなふうに事業が予定通りに進まない時は、どこかに必ずボトルネックや問題があるもの。だからここはトヨタ流の「現地現物」、実際に現場を見に行こうとなったわけだ。

基地局の展開ではまず設置場所を探し、その土地や建物の所有者との交渉が必要だ。それは営業と同じで、地道に熱意をもって行わなければならない。ところが、代理店の事務所にはそうした熱意が感じられず、緊張感や緊迫感があまりに希薄だった。代理店も彼らの立場では一生懸命やっていたのだと思う。しかし僕らのパッションとの違いがあったのだ楽天という企業の大きな方針の一つは「Ｇｅｔ ｔｈｉｎｇｓ ｄｏｎｅ」、つまり「やり抜く力」。その揺るぎない強い意志が現場にないことを知り、僕は「これでは基地局の設置が進まないわけだ」と痛感することになる。

僕らは、真っすぐ二子玉川の本社に帰る気にならなかった。

「ちょっと喫茶店で話そうか」

それで矢澤が案内してくれたのが、新橋でも有名な水出しコーヒーを出す店だった。喫茶店のコーヒーを飲みながら、僕は彼に言った。

「今のままではダメだな」

「……そうですね」

「どうする、この際だから、もう自分たちでやってしまおうか？」

楽天モバイルにはグループ全体の社運がかかっている。僕らには基地局設置の営業の経験は全くなかったけれど、とにかく変化をもたらさなければ前進はない。僕は代理店への外注をやめ、「自分たちの運命は自分たちで決める」と腹を決めた。

そこからの日々は、ドラマ『下町ロケット』の世界だったと思う。

翌朝、矢澤からグループ各社から楽天モバイルへ４００人の異動を認めてほしいという提案があった。僕はすぐに主要な役員に電話をした。

「明日から人を出してくれ」

「え？　いつからですか？」

「明日までに頼む」

翌日には基地局拡大のための新部署が出来上がった。これほど急な話になると、彼らを一堂に集めるオフィスが存在しない。そこで、僕は担当の副社長に電話してこう続けた。

「今から総務部に行って、二子玉川本社の朝会会場スペースを潰して400席を用意する。椅子とパソコンを持ってくるように言って欲しい」

朝会スペースは、毎週月曜日に実施している朝会専用の、本社では一番大きな場所。そうして急拵《ごしら》えのオフィスを用意したのである。

同時に、基地局工事について学ぶ「基地局大学」を社内に作り、教育プログラムを用意した。さらに全国の「現場」へと一気に人員を派遣することにした。楽天には100人ほどの執行役員がいる。彼らを各地方に割り当て、基地局の設置目標に責任を持ってもらった。実際に現地に入り、基地局の設置場所を自ら歩いて探し、交渉を行っていく。

僕自身も例外ではなかった。ヘルメットをかぶって基地局設置の工事現場に行った。要件を手書きのメモで書いているのを見て、「これはスマホのカメラとビデオで記録すれば、時間がずっと短縮されますよね？」といった改善も重ねていった。

こうした思い切った対策を取る時に重要なのは、トップが事業への本気度を形で示すことだ。

楽天モバイルを推し進めれば、5兆円規模の楽天市場へのリターンが、さらに1・5倍になることが見込まれ、楽天カードにも相乗効果がある。よって新部署を作るに当たって念を押したのは、各部署のトップに「一番目と二番目に優秀な社員を出してくれ」と伝えることだった。

そうして執行役員たちも含め、自ら「墨田区のあのビルの屋上に基地局を建てたい」と場所を足で歩いて見つけ、自ら電話をしてアポを取り、「行ってきます！」と現地へと走っていく。社員が一丸となって基地局を次々増やしていった。そんな過程は、いわゆるIT企業のイメージとは違うかもしれない。むしろ泥臭い営業こそが、僕らの武器であり、25年続いてきたグループの底力、やり切るオペレーション力なのだ。

結果的にモバイル事業の体制を刷新した2019年の秋以降、基地局の設置は一気に進んでいく。楽天モバイルの4G回線の人口カバー率は2022年9月時点で97パーセントを超え、基地局の数も2023年度中には6万局超を目指している。これは参入当初の予定を大幅に前倒ししたスピードだ。

2022年7月には最低基本料金0円を廃止し、月額980円からのワンプランでのサービスの提供を開始した。「値上げだ」と一部で批判も浴びたけれど、ネットワークのクオリティが上がり、最低限の適正な対価をお支払い頂いてもいいレベルになってきた、という経営判断からだ。

「未来」への動きは、それだけではない。アメリカのＡＳＴ ＳｐａｃｅＭｏｂｉｌｅ社と提携し、衛星通信ネットワークによるインフラ構築も目指している。携帯端末を宇宙に打ち上げ、地上局との通信を確認する予定だ。このプロジェクトが成功すれば、日本全土１００パーセントのエリアカバーも可能になるだろう。

こうした楽天モバイルのインフラ構築の転換点になったものとは何か。それこそが３年前、「自分たちの運命は自分たちで決める」と決断し、基地局の設置を自社で行い始めたことだった。「未来」を変えるのはどんな時も、自分自身の決断しかない。

おわりに

2022年3月11日で、僕は57歳になった。楽天を創業してから25年余り。その歳月を振り返ってたまに思うのは、あの時代にインターネットで事業を興した同世代の起業家の多くが、すでに現役を退いているということだ。

グーグルを作り出したラリー・ペイジやセルゲイ・ブリン、アマゾンを創業したジェフ・ベゾスなどがそうだ。志半ばで経営から離れた起業家も含めれば、数えきれないほどの同世代がビジネスの第一線から退いているのではないか。

アメリカでは「フィランソロピー」によるエコシステム文化も根付いているから、成功した起業家たちは財団を作って「社会貢献」にお金を使う、という第二の人生の選択肢を持ちやすいのもまた事実だ。

それにしても、現役の起業家として残っているのは自分を含めてごくわずかだ。「もうそろそろ後継者を決めてもいいんじゃないの?」「お金も貯まったでしょう?」と思っている人もいるだろう。

けれど、自分が楽天グループの経営から引退し、「後継者」に道を譲るというイメージは、今のところ具体的には持っていない。僕には「何歳になったら引退する」という考え方そのものがないし、特に2019年に楽天モバイルを始めてからは「全国各地に携帯電話の基地局をどうやって一局でも増やすか」といった議論を、営業の現場の仲間と一緒になってやっているからだろうか。1997年に起業して、インターネット・ショッピングモール「楽天市場」の立ち上げをやっていた頃の自分と、「いま」の自分は、ほとんど変わっていないような気もしている。

若い社員に任せたら……

振り返れば、時代の運にも恵まれていたかもしれない。僕は、インターネットというトランスフォーメーション（変革）が起きた特別な時期に、たまたまその場所にいた起業家（アントレプレナー）だったからだ。優秀であるかどうかよりも、その時代と生まれた場所に左右されるというのは事実だろう。渋沢栄一、岩崎弥太郎、五島慶太……日本を代表する経営者はみんな、トランスフォーメーションが起きた期間に偶然居合わせたという側面も決して小さくないと思う。

だから、「未来」のマネジメントは、僕が生きてきた時代とは違ってくるだろう。「メタバース」をはじめとした新たなトランスフォーメーションのキャッチアップについては、当然、若い人に任せていく必要も出てくるはずだ。

実際、楽天グループにおいても、最近では各事業のトップをなるべく、若手の社員たちに任せるようにしている。それこそ「楽天市場」の事業でも、僕はすでに大きな方向性を見守るような立場に過ぎない。事業のリーダーたちから相談や報告はあるけれど、基本的に僕の姿勢は、提案に対して「ノー」と言うことは少ないし、「いいんじゃないの?」とゴーサインを出す。

興味深いのは、一つのビジネスを思い切って任せると、「おお、こんなこともやるのか」という驚きを感じる瞬間が多いことだ。

例えば、2020年に新型コロナウイルスの流行が始まった時、楽天グループでも70を超えるそれぞれの事業では厳しい状況を迎えていた。そんな時、「ピンチの時だからこそ、世の中に貢献しよう」という考え方が、社員の中から自然と出てきたのは嬉しかった。

そうやって、二つの施策が始まった。まず「楽天トラベル」と契約している宿泊施設について、協力を得られる場合は、コロナ患者用の療養施設として活用できる仕組みをすぐに作り上げてくれた。そのスピード感には目を見張るものがあった。

そして、もう一つが「ヴィッセル神戸」のノエビアスタジアムに、ワクチンの接種会場を作ったことだ。オンライン診療や接種に訪れた人の動線など、気の遠くなるような細かなオペレーションが欠かせなかったけれど、その作業を地道に素早く進めていった。最初は小さな「アイデア」だったものが、まるで新しいビジネスが出来上がっていくように仕組み化され、最終的には職域接種に活用されていく。彼らの中に僕がビジネスで大事にしてきた哲学が、確かに流れていると感じた。

そうやって実行力を発揮し、着実に成長していく若い社員たちを「お前ら、やるじゃん」という気持ちで僕は見守っていただけだった。これから先の経営は、みんなで考えながら「こうやっていったらいいんじゃないか」「俺はこう思うんだけれど、どう？」とお互いにキャッチボールをしながら、作り上げていくことになっていくはずだ。こうした議論を通じて、どこかのタイミングで「後継者」も生まれてくるだろう。

経営の一線を退くつもりはない

でも、最初の話に戻るけれど、僕にはまだ経営の第一線を退くつもりはない。楽天グループのトップとして、やり残したことがあるからだ。

必ずやり遂げたいのが、「楽天モバイル」の携帯電話事業、そして「楽天メディカル」のがん治療という二つのプロジェクト。「未来」を大きく変えるビジネスとして、今まさに資金も人員も投じて推し進めているところだ。

それから、25年前に起業した頃から抱いている絶対に譲れない大きな夢は、日本初の「世界的企業」を作ること。それは、国際的な日本企業であり、同時に日本的な国際企業を作るということでもある。「楽天銀行」や「楽天証券」など金融事業の上場予定も発表しているように、僕らは次のフォーメーションへのファーストステップに立っている。グーグルやアマゾンとはまた違った形で、楽天グループを国際的な信用力のある世界的企業へと成長させていきたい。

そして、10年先なのか、20年先なのか分からないけれど、僕がいなくなっても継続的に会社が成長していく仕組みを、しっかりと作り上げていく。それも自分の重要な仕事の一つだと思っている。

そのためにも欠かせないのが、未来をイメージ、実現していく力――「未来力」なのだ。

装丁・本文デザイン　桝田健太郎
DTP　明昌堂

「週刊文春」に連載した「未来」（2021年6月24日号〜2022年9月29日号）を基に一部加筆修正しました。

人物の肩書きや通貨換算レートなどは基本的に連載当時のものです。

未《み》来《らい》力《りょく》

「10年後《ねんご》の世界《せかい》」を読《よ》み解《と》く51の思考法《しこうほう》

Be A Game Changer

2023年1月10日　第1刷発行

著　者　三木谷浩史《みきたにひろし》

著者略歴　1965年、兵庫県神戸市生まれ。1988年に一橋大学商学部卒業後、日本興業銀行（現・みずほ銀行）に入行、1993年、ハーバード大学にてMBA取得。興銀を退職後、1997年にエム・ディー・エム（現・楽天グループ）を設立し、楽天市場を開設。現在はEコマースと金融を柱に、通信や医療、スポーツなど幅広く事業を展開している。現在、会長兼社長。2012年に発足した一般社団法人新経済連盟でも代表理事を務める。主な著書に『楽天流』（講談社）、『たかが英語！』（講談社）、『成功のコンセプト』（幻冬舎文庫）など、父・三木谷良一との共著に『競争力』（講談社）。

発行者　小田慶郎

発行所　株式会社 文藝春秋

〒102-8008
東京都千代田区紀尾井町3-23
電話　03-3265-1211（代表）

印刷所　凸版印刷
製本所　凸版印刷

ISBN978-4-16-391647-7